Josephine W. Johnson

DIE
NOVEMBER
SCHWESTERN

Roman

Aus dem Amerikanischen
von Bettina Abarbanell

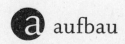 aufbau

Die Originalausgabe unter dem Titel
Now In November
erschien 1934 bei Simon and Schuster, New York.

MIX
Papier | Fördert
gute Waldnutzung
FSC® C083411

ISBN 978-3-351-03976-9

Aufbau ist eine Marke der Aufbau Verlage GmbH & Co. KG

1. Auflage 2023
© Aufbau Verlage GmbH & Co. KG, Berlin 2023
www.aufbau-verlage.de
10969 Berlin, Prinzenstraße 85
Copyright © The Estate of Josephine Johnson 1934
Der Verlag behält sich das Text- und Data-Mining nach
§ 44b UrhG vor, was hiermit Dritten ohne Zustimmung des
Verlages untersagt ist.
Einbandgestaltung zero-media.net, München
Satz LVD GmbH, Berlin
Druck und Binden CPI books GmbH, Leck, Germany

Printed in Germany

ERSTER TEIL

Vorspiel und Frühling

1

Jetzt im November sehe ich unsere Jahre im Ganzen. Dieser Herbst ist zugleich wie ein Ende und ein Anfang für unser Leben, und die Tage, die verworren schienen, weil alles, was zu nah und zu vertraut ist, unscharf wird, sind jetzt klar und fremd. Es ist ein langes Jahr gewesen, länger und bedeutungsvoller als die zehn Jahre davor. In manchen Nächten war mir, als bewegten wir uns auf eine furchtbare, hoffnungslose Stunde zu, doch als diese Stunde kam, war sie zusammenhanglos und verworren, weil wir keinen Abstand hatten, und ich merkte gar nicht recht, dass sie gekommen war.

Ich kann jetzt zurückblicken und die Tage so sehen wie jemand, der von oben auf Vergangenes schaut, und sie haben mehr Gestalt und Bedeutung als zuvor. Aber nichts ist wirklich für immer zu Ende oder wird für immer zurückgelassen.

Die Jahre waren alle gleich und verschwammen miteinander, und der Verstand ist eine Art Sieb oder Treibsand, doch an den Tag unserer Ankunft und die Monate danach erinnere ich mich gut. Zu gut. Die Wurzeln unseres Lebens, die wir in jenem März dort schlugen, haben eine seltsame Ähnlichkeit mit seinen Ästen.

Die Hügel waren damals kahl, die Winterblätter fortgeweht, aber die Obstbäume machten einen lebendigen Eindruck. Sie waren rot gefärbt von ihrem Saft, und ihre Rinde spannte, als wäre sie zu eng, um das neue Leben kommender Blätter zu fassen. Es war ein alter Ort und das Land seit dem Bürgerkrieg im Besitz der Haldmarne-Familie, doch als wir kamen, hatte seit Jahren niemand mehr dort gelebt. Nur Pachtbauern waren eine Weile geblieben und wieder fortgezogen. Das Land war steinig, wenngleich vielversprechend, und auf den Weiden, wo Felssimse bloß lagen, weiß wie im Frost gebleckte Zähne, mästeten sich Schafe. Hügelauf und hügelab waren diese großartigen Obstplantagen gepflanzt, und als Mutter sie an jenem ersten Tag sah, dachte sie daran, wie sie die Früchte pflücken und sammeln und die Äpfel die steilen Hänge hinaufschleppen müsste, sagte aber nur, es dürfte eine gute Ernte werden und die Bäume, wenngleich alt, sähen stark aus. »Kein Markt dafür da, selbst wenn sie Früchte tragen«, sagte mein Vater, ich höre es noch, und dann, »- ist mit einer Hypothek belastetes Land.«

Niemand antwortete, und unser Wagen ächzte und quietschte weiter in den Furchen. Merle und ich beobachteten die Häher, ihr blaues Geflacker hinter den Ästen, und hörten ihre Schreie. Die Ulmen waren dicht mit Knospen besetzt und bildeten braune Gespinste am Himmel. Auf den Weiden war es schön und öde, und die Walnussbäume warfen einen lavendelfarben anmutenden, blitzsauberen Schatten. Alles war fremd und unverbunden und ergab kein Muster, das man ohne Weiteres hätte nachzeichnen können. Hier waren das Land und die von der Schneeschmelze erfüllte Frühlingsluft und doch bereits der Anfang von Angst – dieser Hypothek und Vaters wegen, der von sauertöpfischer Gereiztheit und Zukunftssorgen verzehrt schien. Mutter aber saß ganz ruhig da. Er hatte ihr nichts von der Hypothek gesagt, und sie hatte gedacht, wo schon alles andere verloren war, wäre wenigstens das Land unbelastet und ein Zufluchtsort. Doch selbst in dem Moment, als sie begriff, dass auch dies unsicherer, schwankender Boden war, erlaubte ihr etwas, worüber sie immer verfügt hatte – etwas,

was ich damals nicht kannte und vielleicht nie kennen werde –, es ruhig hinzunehmen. Eine Art innere Friedensquelle. Glaube war es wohl. Sie hielt vielem stand und erduldete eine Menge, stets ohne Zweifel oder Bitterkeit; und dass sie da war, zuversichtlich und unerschüttert oder zumindest den Anschein erweckend, war alles, was wir damals zu wissen brauchten. Wir konnten das Gefühl von Unbeständigkeit und Zweifel, das von seinen Worten aufgestiegen war, vorerst vergessen. Merle war damals zehn und ich vierzehn, und uns war, als hätte ein großes Abenteuer begonnen. Doch Vater schaute nur auf die alten, verrotteten Ställe.

Er war nicht zum Farmer geboren, Arnold Haldmarne, obwohl er als Junge auf dem Land aufgewachsen war und nun auf ähnliche Felder zurückkehrte wie die, die er früher gepflügt hatte. Er besaß nicht die Ergebenheit, die ein Bauer haben muss – jene, die weiß, wie wenig Sinn es hat, zu hoffen, zu hassen oder auch nur um eine einzige Bohne zu beten, bevor ihre Zeit gekommen ist. Er war erst sechzehn gewesen, als er das Land verließ, und war nach Boone gegangen, wo er sich einen Platz in den Holzfabriken erarbeitet hatte. Er hatte gespart und war schwer und langsam höher gekommen, wie eine Eiche oder Esche, die mit Mühe wächst, aber viel mehr wert ist als jede binnen einer Jahreszeit um sechzig Zentimeter in die Höhe schießende Pappel. Doch jetzt war er wieder auf seine Wurzeln zurückgestutzt worden. Es ist eine eigentümliche Erfahrung für einen Mann, jahrelang für Sicherheit und Ruhe gearbeitet zu haben und innerhalb weniger Monate alles dahinschwinden zu sehen; jene fremdartige Leere und Dunkelheit zu spüren, wenn man nicht mehr gebraucht wird, nicht mehr notwendig ist. Bei ihm war alles langsam entstanden und schnell vergangen, und das machte ihn misstrauisch sogar gegenüber dem Land.

Wir schleppten unsere Betten auf dem Wagen mit hierher. Das Auto war verkauft, auch der Großteil der Möbel verloren. Wir ließen unser anderes Leben hinter uns, als hätte es dieses Leben nie gegeben. Nur das, was Teil von uns war, was wir gelesen hatten und woran wir uns erinnerten, kam mit und die Bücher, die wir über drei Generationen angesammelt hatten und nicht verkaufen konnten, weil die Erde schon knietief in Büchern watete. Wir ließen eine völlig falsche, verworrene Welt hinter uns, in der sich alle gegenseitig anbrüllten, und kamen in eine, die nicht weniger hart war, nicht weniger bereit, einem Menschen Steine in den Weg zu legen oder ihn zu verstoßen, ihm dafür aber wenigstens irgendetwas zurückgab. Was mehr war, als die andere Welt tun wollte.

Das Haus war schon damals alt, nicht aus Baumstämmen, sondern aus senkrechten Brettern gebaut wie Scheunen. Es war von Klettertrompeten und wilden roten Efeuranken überwuchert, die verknäult und schwer auf der Veranda lagen. Wilde Trauben über dem Brunnen waren schwarz im Herbst, und über der Pumpe gab es eine Laube aus gezüchtetem Wein. Ganz oben in den blattlosen Reben fand Vater ein altes Drosselnest und holte es herunter, damit Merle es im Frühling nicht für ein neues Nest halten und auf Vögel warten würde, die nie kämen. Sie füllte es mit runden Steinen und legte es auf den Kaminsims, vielleicht weil sie dachte, das Feuer würde Steinvögel schlüpfen lassen – wer weiß. Sie steckte voller eigenartiger Vorstellungen und bildete sich Dinge ein, die auf der Erde gar nicht existierten. Manchmal wirkte sie älter als Kerrin, die fünf Jahre vor ihr geboren war.

Jenen ersten Frühling, als alles neu für uns war, habe ich auf zweierlei Weise in Erinnerung; einerseits von Sorge und Angst getrübt wie von einem grauen Nebel überall dort, wo Vater war – einem Nebel, der nicht immer sichtbar und trotzdem da war –, andererseits gemischt mit dieser Liebe, die wir für das Land selbst empfanden, jede Stunde auf tausend Arten changierend und schön. Ich erinnere mich, dass der zweite Tag nach unserer Ankunft stürmisch war, mit faustgroßen Schneeflocken und einem Nordwestwind, der von den Hügeln herunterblies und an den Fenstern rüttelte, bis die Scheiben fast zerbrachen, und wie der Schnee nass gegen das Glas knallte. Wir hielten es für ein Vorzeichen, wie die Winter hier sein würden, doch seltsamerweise war es danach nicht kalt, obwohl der Schnee fast sechzig Zentimeter hoch lag und ein Wind die Hickorys vom Geäst bis zur Wurzel schüttelte und die Eichen erzittern ließ. Merle und ich gingen zu einer steinigen Stelle im Wald, wo die Felsen abschüssig waren und einen Wasserfall bildeten, sahen dort die Luftblasen unters Eis kriechen und mit schnellem, glitschigem Geschlängel wie scheue Kröten davonhuschen. Unten im Seichten, bei den Krebsen, waren die Schlammfarne grün und frisch, und die Sonne brannte so heiß, dass wir mit offenen Mänteln herumliefen und unsere Mützen einsteckten. Vieles, so schien es hinterher, war wie jener Anfang – zwischen Wind und Sonne wechselnd und so austariert, dass weder Gutes noch Böses das jeweils andere gänzlich zu überwiegen schien. Und schon da hatten wir das Gefühl, an einen zugleich tückischen wie freundlichen Ort gekommen zu sein, dessen Unbeständigkeit das Einzige war, worauf man sich verlassen konnte, und der seine eigenen Wege gehen würde, als wären wir nie geboren.

2

Es war kalt in jenem ersten März, und gepflügt wurde spät, das weiß ich noch. Manches aus jenen frühen Jahren habe ich nie vergessen; Worte und Tage und Anblicke, die wie Steine im Gedächtnis liegen. Unser Leben ging ohne große Ereignisse weiter, und das Wenige, was geschah, ragt wegen all des Gleichen ringsum völlig unverhältnismäßig hervor. Jener erste Frühling war im Grunde wie die meisten folgenden und doch von einer eigenen Bedeutung getragen.

Kerrin klagte über die raue Kälte, und das Haus war wirklich schwer zu heizen, doch ich erinnere mich, dass endlich ein Tag Gottes kam, an dem wir uns vorsichtig aufs Gras legten, um die Flockenblumen nicht zu zerdrücken, und ihren frühlingszarten Duft rochen. Die Hügel waren an dem Tag von einem blassen, rauchigen Grün, alle Farben verliefen und verschmolzen miteinander, das Rot der Holzapfelzweige etwa mit dem Schattenlavendel, nur die Apfelbäume hatten Rinden aus Blutrot und Gold. Wir gingen zu der Stelle hinauf, wo damals die alte Scheune mit den grauen Schindeln und den durchhängenden Balken stand – alt wie ein erhabener Teil der Erde selbst. Wir aßen unsere Mittagsmahlzeit, an ihrer Südwand sitzend, und saugten die heiße Frühlingssonne auf und den blassen, wässrig blauen Streifen jenseits der Bäume, und selbst Kerrin wirkte weniger fremd und sonderbar. Dad hatte zu viel zu tun und konnte seine Zeit nicht damit verschwenden, uns Gesellschaft zu leisten. Dafür zu sorgen, dass wir genug zum Leben und zum Essen hatten, war schon reichlich Arbeit, und wer etwas beiseitelegen oder für später anhäufen wollte, der behielt noch im Schlaf die Nase in der Ackerfurche und die Hand am Pflug. Mutter aß mit ihm zu Hause, und wahrscheinlich waren sie froh, wenigstens bei einer Mahlzeit unter sich zu sein, ohne dass wir sie pausenlos von oben bis unten beäugten und uns alles merkten, was sie sagten, um es ihnen vorzuhalten, sollten sie sich je widersprechen.

Wir saßen auf dem Hügel und beobachteten einen Hüttensänger, der die Bäume und Zaunpfähle absuchte, und konnten weit in die Tiefebene schauen, mit dem Bach und den Ahornen, die dem Wasserlauf folgten und sich langästig zu ihm hinunterbeugten. In den Holzapfelästen saß ein Neuntöter, und Kerrin sagte, das seien grausame Geschöpfe, die Feldmäuse und Vögel mit ihren Dornen aufspießten, sodass deren Füße steif wie kleine Hände in die Luft ragten. Ich fand nicht, dass es grausame Geschöpfe waren – nur natürliche. Sie erinnerten mich an Kerrin, aber ich war klug genug, es nicht laut zu sagen.

»Bald ist Dads Geburtstag«, sagte Merle. »Er wird siebenundfünfzig. Ich finde, wir feiern eine Party – mit Geschenken.« Sie stand langsam auf und schüttelte sich, von der warmen Sonne und dem Essen schwer wie ein Zotteltier. Dann baute sie sich mit ihrem runden, ernsten Gesicht vor uns auf.

»Wo willst du das Geld hernehmen?«, fragte Kerrin. »Ich hab welches, aber du nicht. Ich hab schon ein Messer gekauft, das schenk ich ihm.«

Ich warf ihr einen schnellen, eifersüchtigen Blick zu. »Wo hast du denn Geld her?«, fragte ich. Ich hatte nicht daran gedacht, dass ein Geburtstag anstand, nicht überlegt, was ich schenken könnte, und das machte mich wütend auf sie.

»Es ist meins, Marget. Ich hab's selber verdient!«, rief Kerrin. »Du denkst wohl, ich hätte es gestohlen oder geborgt?« Sie stand auf und funkelte mich an. Ihr langes, schmales Gesicht war ganz dunkel, und ich glaube, sie hoffte, dass ich sie tatsächlich verdächtigte, wollte sich dunkler, heimlicher Dinge beschuldigt fühlen. Ich bohrte kleine Löcher in die Erde und grub einen Löwenzahnkopf ein, verlegen und halb in Angst, dass sie mir etwas antun würde. »Hab mich ja nur gewundert«, sagte ich, »weil sonst niemand welches hat.«

Kerrin machte sich steif wie ein Kranich. Fast schienen ihre Augen zu zucken, wenn sie sich aufregte oder meinte, sie hätte das Recht dazu. »Du hältst mal besser den Mund. Du hast doch sowieso keine Ahnung!« Ihre lidschweren Augen weiteten sich wutentbrannt. Sie machte immer Szenen.

Merle verschränkte ihre dicklichen Hände ineinander. Ihr war beklommen zumute, sie fühlte sich angespannt und fürchtete diese Momente mehr als jede Schlange oder jeden Geist. »Wir sollten jetzt zurückgehen«, sagte sie. »Vielleicht ist es längst Zeit zum Geschirrspülen –«

Kerrin sah sie gereizt und trotzig an. »Na und? Wen kümmert das? Kann sein, dass ich eine ganze Weile nicht zurückgehe!« Sie zerbrach unaufhörlich Zweige in ihren dürren Händen.

»Kerrin«, sagte ich wie eine aufgeblasene Idiotin, »die Dinge, die man uns aufträgt, sind nicht immer die, die wir gern tun wollen.«

»Warum tust du sie dann nicht?«, sagte Kerrin.

Darauf wusste ich nichts zu antworten. Ich scheute mich, noch einmal von dem Messer anzufangen. Nichts hatte sich geändert, und doch wirkte der Nachmittag jetzt kalt und frostig … Merle machte sich auf den Weg den Hügel hinunter. Sie dachte immerzu an Mutter, die mit der Arbeit allein fertig werden musste, und war immer die Erste, die sich den Aufgaben widmete, die gerade zu erledigen waren.

Es war etwas in ihr, schon damals, was einen Fuß vor den anderen setzte, auf einem geraden Weg zu einem klaren Ort, und ich wünschte mir damals und wünsche es mir noch heute, dass es auch in mir so etwas gäbe, was stetig auf einer einzelnen Straße entlangmarschieren würde anstatt mal hier, mal dort, mal woanders, während mein Geist ein Netz aus Hasenpfaden knüpfte, voller Windungen, Kurven und Kehren, immer vom Habichtschatten des Zweifels verfolgt. Doch obwohl ich mich geringschätzte, schien die Erde für mich nicht weniger schön, mir nicht weniger zum Geschenk gemacht als Merle, die doppelt so viel Gutes in sich trug. Und das kam mir ungerecht und seltsam vor, aber eines Tages würde es sich wohl ausgleichen.

Ich lief hinter ihr her, und Kerrin, die weder mitkommen noch allein bleiben wollte, folgte uns. »Was schenkst du ihm, Merle?«, fragte ich. Sie sah rot und stolz aus, froh, etwas gefragt zu werden, wenn sie die Antwort wusste. »Ich schenk ihm eine Schachtel«, sagte sie. »Eine große für seine Nägel und Schrauben.«

»Das ist schön«, sagte ich. »Du kannst Fächer für die verschiedenen Größen machen und sie einfärben.« Dabei konnte ich mir nicht vorstellen, wie sie das alles bewerkstelligen wollte.

»Was schenkst du ihm?«, fragte Kerrin mich. »Wir sollten schon alle was haben. Es muss ja nicht viel sein.«

»Das wirst du ja sehen«, sagte ich. In meinem Herzen glaubte ich ohnehin nicht, dass es viel sein würde. Ich war unsicher, ob es *überhaupt* etwas sein würde. Ich war nicht sehr gut darin, Dinge selber zu machen.

In der heißen Sonne gingen wir langsam dahin. Merle war still, nachdenklich. Ich vermute, sie dachte an all die Hühner, deren Nester noch gefüllt werden mussten, und an das lahme, das alle seine Eier zerbrach, aber so unbeirrbar brüten wollte, dass es einem leidtat, obwohl Merle seine Dummheit und das eiverklebte stinkende Stroh hasste. Es war schon fast zwei, und anscheinend verbrauchte sich die Zeit schneller, wenn man überhaupt nichts tat, und ließ es einen weniger merken, als es bei der Arbeit je der Fall war. Wir liefen den Kuhpfad hinauf, wo der Boden trocken und warm war und am Rand die Disteln sprossen. Wir konnten Dad schon wieder pflügen und Rotkehlchen in den Furchen landen sehen, stets in weitem Abstand zum Pflug. Der Blaurauchgeruch von brennendem Gestrüpp und ein warmer Dunst lagen in der Luft. Merle ging voran, rund und mit reiner Haut, den Mund noch voll von dem übrig gebliebenen Stück Brot, das Haar hinten am Kopf ungekämmt und wollig; dann kam ich, mit nichts Besonderem vergleichbar, im braunen Kleid und mit Bettlerlaussamen in den Strümpfen; und schließlich Kerrin, die hinter uns herzuckelte und so tat, als würde sie uns jeden Moment verlassen. Sie hatte rötliches Haar mit Stirnfransen, und ihre Arme hingen wie zwei flache Holzlatten an ihren Schultern, aber ihr Gesicht hatte schärfere, interessantere Züge als unsere. Sie war auch stärker als wir und glaubte, dass sie pflügen könnte, wenn Vater sie ließe. Doch der meinte, ein Mädchen würde es nie lernen und nur das Feld verhunzen. »Ihr Mädchen helft eurer Mutter.« Er stellte einen Mann ein, der eine Weile für ihn arbeitete, und Kerrin war wütend, fühlte etwas in sich pochen, ohnmächtig und unterdrückt, und schmollte und schaute finster, wie die Jungbullen es tun. »Er denkt, ich könnte nichts!«, schrie sie dann Mutter an. »Er behandelt mich, als wäre ich immer noch zwei. Warum tust du nichts dagegen? Warum sorgst du nicht dafür, dass er es sieht?«

»Er wird es irgendwann sehen«, sagte Mutter. »Ich denke, er wird es sehr bald sehen.«

»Warum sagst du es ihm nicht trotzdem?«, rief Kerrin dann. »Warum wartest du immer so lange mit allem? Du behandelst ihn, als wär er Gott persönlich!« So endete es jedes Mal, und dann knallte sie mit der Tür, während wir so taten, als hörten wir es nicht, und einfach weitermachten, elend und hasserfüllt nur in unserem Inneren. Und für Mutter, die alles schwernahm und still ertrug und im Leben der anderen lebte, als wäre es ihr eigenes, war es jedes Mal, als würde sie innerlich verwundet. Ich hörte dann, wie sie Vater leise und zaghaft dies und jenes vorschlug; wenn er müde war, wurde er ärgerlich, und wenn er sich, was selten vorkam, freute – über Merles pralle Wangen, die im Wind zu leuchten schienen, oder eine kluge Bemerkung von ihr –, dann lachte er, doch willigte er nie sofort ein oder ließ sie wissen, dass sie ihn umgestimmt hatte. Es war schwer für sie, etwas anzusprechen, wenn er sich gerade freute oder ruhig dasaß, hatte er doch nur wenige solcher Pausen, und es kam ihr dann vor, als würde sie ihn quälen. Wir verhielten uns leise, beteten, dass der Moment länger andauern, sich zu einer Stunde dehnen würde, und manchmal ließ Mutter die Gelegenheit um des Friedens willen verstreichen, obwohl es so vieles gab, was sie als ungerecht empfand, und sie eigene zersetzende Sorgen hatte, die sie gerne bei ihm abgeladen hätte.

Als wir an jenem Tag zurückkamen, hatte Mutter alle alten Kartoffeln auf der Zisterne ausgebreitet und war dabei, sie für die Saat klein zu schneiden. Sie sah dünn und plump aus und hatte ihre Haare zu einem geflochtenen Knäuel aufgewickelt. Doch ihre Wangen waren rund, ihr Gesicht jung, und sie freute sich, uns zu sehen – was mich manchmal wunderte, schon damals, weil ich dachte, vierzehn Jahre in unserer Gesellschaft hätten sie zurückhaltender und skeptischer machen müssen.

»Wir hatten's schön«, sagte Merle, »und das Essen war auch gut.« Sie streckte ihr ein paar klebrige, mit Spucke zusammengedrehte Löwenzahnstängel entgegen und befestigte sie unten an Mutters Dutt.

»Die sehen ja wunderhübsch aus«, sagte Kerrin. »Wie Würmer.« Sie fing an, Kartoffeln zu schneiden, flink und säuberlich, doch Merle reagierte nicht, und auch sonst beachtete sie niemand. Ich fand, das geschah ihr recht, und Mutter lachte nur. Mutter sprach selbst nie viel, lauschte aber auf alles, was gesagt wurde, und gab uns das Gefühl, dass es einen Sinn hatte zu reden, weil sie da war und es hörte. Niemand sonst, den wir kannten, interessierte sich so sehr für alles, was es zu wissen gab und worüber man sprechen konnte – das Kreisen der Planeten und die Bedeutung von Aktien oder die verschiedenen Arten von Salz, die Schweine brauchten, und die Namen der großen viktorianischen Dichter.

Eine lange Zeit häckselten wir schweigend die Kartoffeln. Die Sonne war noch warm und wanderte langsam. Ich dachte über Kerrin und das Geld nach, fragte mich, wann sie es für das Messer verdient haben konnte, und hielt es für sehr wahrscheinlich, dass sie es sich einfach genommen hatte (was auch so war), vergaß es dann aber, weil ich einen grauen Falken beobachtete, der an den Eichen entlangglitt, vergaß es auch über dem Gedanken, was es wohl zum Abendessen geben würde. Es war, als hätte die Sonne alles verlangsamt und uns ausgepresst, uns ruhiger und sanfter gemacht. Für eine kleine Weile wenigstens.

3

In jenem Jahr planten wir seinen Geburtstag drei Wochen im Voraus. Doch um uns herum war alles fremd – das Land und die Menschen –, und wir konnten niemanden bitten, zu uns zu kommen. Vater kannte die Rathmans – den alten Rathman, seine Frau, ihre drei Söhne, die wie drei große Bullen waren, und eine Tochter mit rundem, vollem Gesicht; er ging samstags manchmal zu ihnen zum Essen. Fast immer, wenn er dorthin komme, säßen sie am Tisch, sagte er, begännen oder beendeten gerade eine ihrer fünf Mahlzeiten, Kaffeeduft sei wie ein Teil des Hauses selbst, in die Wände eingedrungen und mit Sauerkrautgeruch vermischt. Die alte Mrs. Rathman verbringe ihr ganzes Leben zwischen Tisch und Herd, und wenn sie hinausgehe, dann nur, um Dinge hereinzuholen, die sie eine Weile auf den Herd stelle und dann auf den Tisch, wo sie sie den drei Jungs und Joseph Rathman und manchmal sich selbst einverleibe. Dad mochte den alten Rathman und nannte sein erstes Kalb nach dessen Tochter Hilda statt nach einer von uns (nicht dass wir uns deswegen grämten, denn es war hässlich, einhörnig und scheußlich violett); aber wir hatten Angst vor dem alten Mann, weil sein Blick uns zu verhöhnen schien und wir glaubten, er wisse irgendetwas Geheimes oder Skandalöses und verachte uns. Heute ist mir klar, dass das nur so seine Art war und dass er uns mochte, weil wir gesund aussahen und Kinder waren. Dennoch scheuten wir uns, ihn einzuladen. Merle sagte, sie würde dann ihr Gedicht vergessen, und Kerrin meinte, er würde vielleicht unser Essen nicht mögen, und ich sagte gar nichts, war aber froh, dass sie so entschieden hatten. Mir graute vor fremden Menschen, nur wollte ich nicht schuld sein, sollte sich hinterher herausstellen, dass es besser gewesen wäre, wenn wir sie eingeladen hätten (so machte ich es immer, weshalb sie glaubten, ich wäre gutmütig, dabei war ich in Wirklichkeit bloß ein Feigling).

Die Rathmans waren nach Norden hin die Einzigen in unserer Nähe, aber südlich von uns, auf einer schmalen, strauchreichen Farm, lebten die Ramseys. Die Ramseys waren Schwarze, und ihr Land machte einen ausgedörrten und steinigen Eindruck. Alle Tiere waren mager und knochig, selbst die Schweine sahen schlaff aus wie Ballons ohne Luft – die Ferkel schwarz und klein, mit riesigen, fuchsspitzen Ohren. Christian Ramsey war lang und dünn und schmutzfarben, und seine Frau hieß Lucia. Sie besaßen ein Rudel gefleckter, geisterhafter Hunde und hatten fünf Kinder, drei eigene und zwei adoptierte – darunter eins, das fast weiß und doch vollippig war, das hatten sie nicht haben wollen, doch da es auch sonst keiner wollte, hatten sie es behalten und behandelten es besser als die anderen, meinte Vater, ob aus Angst oder Mitleid, wusste er nicht zu sagen. Doch die Ramseys konnten wir nicht einladen, noch wären sie gekommen, wenn wir es getan hätten. Und die weiter entfernt lebenden Farmer waren nur Namen.

Wir planten die Party selbst, wie alles ablaufen sollte und was vorbereitet werden musste, und ich brachte Merle ein langes Gedicht bei und ließ sie jeden Tag eine Stunde im Hühnerhaus auf der Heukiste sitzen und es auswendig aufsagen. Wir nannten es eine Ballade, und es war ein furchtbares Machwerk, doch die Wörter reimten sich an den Versenden, und es gab eine Handlung, also war es vielleicht wirklich eine. Kerrin und ich hatten es uns ausgedacht, und es endete mit einem Tod, doch da Vater jeden Gedanken an den Tod von sich schob und uns nie erlaubte, davon zu sprechen, ließ ich den Schluss weg, als ich es Merle beibrachte. Davon wusste Kerrin allerdings nichts, weil Merle es nicht von ihr lernen oder mit ihr allein sein wollte, seit sie einmal im Kartoffelkeller eingesperrt gewesen war und Stunden im Dunkeln hatte ausharren müssen. Mir dagegen vertraute sie so sehr, dass ich es manchmal wie eine schwere Last auf meinen Schultern empfand, wenn auch eine wunderbare und ein bisschen so, als wäre ich Gott. Es machte ihr nichts aus, das Gedicht zu lernen. Sie saß da mit ihren schwarz gerippten, über den Kistenrand baumelnden Beinen, die dicken Wangen rot vor Kälte, und unter der Mütze mit der großen Bommel schaute eine feuchte Haarsträhne hervor. Neun- oder zehnmal sagte sie es voller Begeisterung auf, die restlichen Male geduldig und präzise. Es handelte von einem Bauern, und wir hofften, Vater würde lachen, denn hier und da sollte es lustig sein, und Mutter würde auf jeden Fall lachen, das wussten wir. Merle war aufgeregt, zählte die Tage und schaute mich oft vielsagend und verschwörerisch an.

Kerrin wollte uns nicht verraten, was sie vorhatte, ging aber jeden Tag allein in den Wald. »Es wird gut«, sagte sie nur. »Ihr werdet alle beschämt sein.« Zwischen dem Melken und dem Abendessen war sie allein unterwegs und kam manchmal singend zurück. Sie hatte eine gute Stimme, die jedoch zu laut und schallend war, weshalb sie nicht gern vor anderen sang und damit aufhörte, sobald sie an der Scheune vorbei war. Ich selbst hatte mir überlegt, Dad einen Korb aus Lehm zu machen, wie die indigenen Völker sie herstellten, und ihn anzumalen – womit, wusste ich nicht genau, vielleicht mit Rote-Bete-Saft oder Tinte –, den könnte er dann anstelle der rostigen Dose benutzen, in der er bisher immer die Eier zum Haus trug. Ich arbeitete tagelang daran, machte ihn zuerst vernünftig groß, mit einem Griff aus Draht und Lehm, der jedoch in Stücke zerbrach, sobald ich den Korb anhob. Danach machte ich ihn noch dreimal neu, jedes Mal kleiner, bis er schließlich stabil war und hielt, auch wenn nun kaum ein Spatzenei hineinpasste. Immerhin sah das Ganze wie ein Korb aus, und ich wünschte, er wäre für Mutter bestimmt, der alles gefiel, was wir selber machten – sogar ein Kissen, das Merle mit unsauberen, muffig riechenden Hühnerfedern gefüllt hatte. Die Vorstellung, dass Dad es bekommen würde, fand ich trotzdem schön, denn es war ein gutes Gefäß, mit einem Muster aus roten Formen bemalt, die so aussahen wie Reiher, nur dass der Saft verlaufen war und ihre Umrisse in alle Richtungen verschwammen; außerdem war er schwerer zu erfreuen und wirkte umso dankbarer, wenn es einem gelang.

Ich mochte die Stunde, die ich jeden Tag dort am Ufer verbrachte, mit dem schwachen, lehmkalten Geruch des Wassers; überall am Rand waren kleine Löcher, vielleicht vom Schnabel eines Spechts, in denen sich Spinnen versteckten und die Kohlweißlinge sich fingen, die in dünnen, gelben Wolken angeflogen kamen, um am Lehm zu saugen. Manchmal ging ich am Vormittag hin und hörte das Eis von den Platanen tropfen und das Klopfen des Spechts an der Rinde, so still war es dort; und zweimal schlich ein Rotfuchs über die Straße.

Einmal aber hörte ich, wie Kerrin, vor sich hin singend, vorbeiging. Sie konnte mich unterhalb der Böschung nicht sehen, und als der Gesang sich etwas entfernt hatte – ein Lied über Rizpa und ihren Sohn, der in Ketten aufgehängt wurde –, nahm ich meine Mütze ab, damit die Bommel mich nicht verriet, steckte den Kopf über die Böschung und sah sie dort laufen und singen. Ihr rotes Haar war wild und nicht bedeckt, wie es hätte sein sollen, denn das Frühlingswetter sei gefährlich, meinte Vater. (Er ging nie ohne Hut hinaus, obwohl ich nicht erkennen konnte, wozu ein Männerhut gut sein sollte – der Wind blies ihm ja trotzdem um die Ohren.) Fast hätte ich sie gerufen und ihr gesagt, sie hätte sich besser etwas aufsetzen sollen, doch die Wörter blieben in meinem Mund, und Kerrin verschwand hinter dem Hügel. Mir war komisch zumute, als ich sie so sah, ganz allein. Irgendetwas an der Art, wie sie da lief und sang, kam mir vor, als wäre sie nicht mehr wie wir. Kerrin war uns nie sehr ähnlich gewesen, schon vorher und in vielerlei Hinsicht nicht. Sie erledigte Dinge abrupt und ungestüm oder gar nicht und aß manchmal wie ein ausgehungerter wilder Hund und murmelte beim Kauen vor sich hin; dann wieder stocherte sie in ihrem Essen herum und starrte aus dem Fenster, während Merle und ich geduldig alles aßen, was uns vorgesetzt wurde. Sie schlief auch zu seltsamen Tages- und Uhrzeiten, lang ausgestreckt wie ein Luchs in der Sonne, und stahl sich nachts aus dem Haus, um in den Sümpfen herumzustreunen. Ich wusste das, weil ich sie im Morgengrauen hatte zurückschleichen sehen, die Füße und Beine halb erfroren und mit eisigem Schlamm bedeckt. Und dieses Mal wirkte sie sonderbarer denn je, als gehörte sie nicht einmal mehr sich selbst. Mir war komisch zumute. Warum genau, wusste ich damals nicht, aber es war der Anfang von Angst. Angst, dass das Leben nicht sicher und behaglich war oder auch nur streng und hart, sondern dass es eine dunkle Seite gab, die weder das eine noch das andere war und niemals zu erklären oder zu verstehen. An jenem Tag ließ ich das Gefäß unvollendet und ging zum Haus zurück, wo zwar nicht immer alles gut war, aber wenigstens einigermaßen eindeutig und nicht schwer zu verstehen.

Dads Geburtstag war im April, am neunten, aber wir waren lange vorher fertig, und die Tage, obschon voll und übervoll, vergingen nicht schneller, als Stein abgetragen wird. Merle fragte zwar nicht jeden Morgen: Ist es heute so weit?, aber Mutter merkte, dass sie sich Sorgen machte, sie würde den Tag verpassen, und brachte ihr bei, wie man jeden Abend die Tage auf dem Kalender auskreuzte. Wir planten, was wir ihm zum Abendessen machen wollten, und wünschten, es könnte etwas Selbstgezogenes sein, doch die Süßkartoffeln und die irische Sorte waren noch nicht herausgekommen und alles Gemüse gerade mal in der Erde. Dafür sollte es bergeweise Maispudding geben und eine dreischichtige Torte mit dickem Zuckerguss und so vielen Kerzen, wie auf ihr Platz hätten, wenn auch nicht siebenundfünfzig, wie es richtig gewesen wäre, denn dann wäre sie in sich zusammengesackt. Merle schlug vor, wir sollten sie rundherum in den Rand stecken, sodass die Torte aussehen würde wie ein brennendes Stachelschwein. Das gehe nicht, sagte Kerrin, sie solle das Backen denen überlassen, die etwas davon verstünden – womit sie seit den stahlharten Apfelteigkugeln, die ich eines Abends fabriziert hatte, wohl kaum mich meinte und auch nicht sich selbst, weil sie, die zwar gern mit dem Spaten zu Werke ging, sich nicht dafür interessierte, was aus der Erde hervorkam, und die Karotten abbrach, anstatt sie mit gutem Zureden und der Pflanzkelle herauszuziehen. Sie meinte wahrscheinlich, dass Mutter es am besten könnte, und das war noch in manch anderer Hinsicht als dem Kochen mehr als wahr.

4

Der neunte April kam an einem Tag des Maispflügens. Wir hatten die ganze Nacht herumgezappelt und kaum geschlafen, und so hörten wir Dad wie immer um vier Uhr aufstehen und glaubten, dass er genau solches Herzklopfen hatte wie wir. Ich weiß noch, was für ein eigenartiger Tag es war – mit Gewittern und einer heißen Sonne dazwischen und einem Wind, der nach Norden drehte und Kälte brachte, und langen Lichtstrahlen über den Wildpflaumen, die kurz vor dem Erblühen standen ... Die Torte war schön und hoch, und überall tropfte der Zuckerguss herunter. Kerrin aß, was auf den Teller gelaufen war, ohne etwas vom Boden abzubrechen, und mit all den Schichten, die sich nach oben zu einem Muffin verjüngten, sah die Torte aus wie der Turm zu Babel.

Am Abend um sechs kam Dad herein und rief: »Wo ist das Essen, ihr Frauen?«, und klang dabei so jung und fröhlich, dass wir uns an ihn hängten, wie wir es seit Wochen nicht gemacht hatten. Auch Mutter sah plötzlich jünger aus, und Cale bellte laut wie bei einem Fremden. Mutter brachte den mit Nelken gespickten Schinken herein, und der Duft von braunem Zucker erfüllte den Raum und vertrieb die dunkle Frühlingskälte, die durch die Fensterritzen gekrochen war. »Ich werde oben auf dem Nordfeld Sojabohnen pflanzen«, sagte Vater. »Die sind billig und nahrhaft.«

»Da solltest du jemanden anheuern, der dir beim Pflanzen hilft«, sagte Mutter, »einen, der mehr davon versteht als die Jungs hier in der Gegend.« Vater schaute sie an, als redete eines von uns Mädchen. »Max Rathman ist gut genug«, sagte er. »Was spricht gegen Max? Nach Lehrbuch muss nicht gepflanzt werden, Willa.« Ich sah, wie sein Blick zu Merle ging, sah, dass sie Cale mit ihren dicklichen, rauen Händen ein Stück Schinken ins Maul schob und dass da Wörter in Dads Kehle waren, bereit herauszuplatzen, doch diesmal blieben sie in seinem Mund. »Eine Zeit lang ist Max sicher gut genug«, sagte Mutter rasch. Sie sah Merle an und schüttelte den Kopf, aber erst, als Dad den Blick abgewandt hatte. »Lasst uns jetzt die Torte reinbringen«, flüsterte ich. Ich wollte die Kerzen anzünden und ihr helfen, sie hereinzutragen, schließlich hatte ich mein Teil dazu beigetragen, wenn auch nicht viel, nur hier und da Rosinen verstreut. Merle beobachtete mich unablässig, weil sie wissen wollte, wann es Zeit war, das Gedicht aufzusagen, ihre Augen folgten mir mit dieser Frage überallhin. Dann sah ich, dass Kerrin ein großes Stück Brot nahm und es Cale zusteckte, und ich schaute Vater an und sah, wie die Wörter, die er eben nicht gesagt hatte, kurz davor waren, sich über ihr zu entladen. Er lief rot an, doch es kam nur ein schwerer Seufzer heraus. »Was ist los?«, fragte Mutter. Sie stand in der Kammer, wo die Torte versteckt war, hörte aber das Geräusch und die anschließende Stille. »Bloß ein Krümel im Hals«, sagte ich. Dabei zitterte ich innerlich und hatte Angst, aber nichts passierte. Dann ließen wir Merle die Torte hereinbringen, und wie ihr Gesicht da über den kleinen Flammen auftauchte, sah es selbst wie eine Kerze aus, und Dad schmunzelte, tat aber keinen Ausruf, wie wir es erwartet hatten.

Er schnitt uns große Stücke ab, fest und keilförmig, und ein noch größeres für Mutter, und dann fanden wir, dass es Zeit für die Geschenke war. Merle sprang auf und sah mich eifrig an, die Lippen schon gespitzt und bereit, anzufangen, doch ich schüttelte den Kopf, weil ich dachte, Kerrin wäre vielleicht gern als Erste an der Reihe, außerdem starb ich fast vor Neugier, was sie die ganze Zeit gemacht hatte. Und als ich jetzt Merles Gesichtsausdruck sah, vertrauensvoll und enttäuscht zugleich, wünschte ich, Gott hätte mir den Mund zugenäht. »Du zuerst, Kerrin«, sagte ich. Vater schien erfreut, aber auch verwundert und unsicher, was jetzt wohl passieren würde. Kerrin stand auf, Entschlossenheit und Aufregung im Blick, und zog einen kleinen, schweren Gegenstand aus der Pullovertasche. Sie streckte ihn Vater entgegen, behielt ihn aber noch in der Hand, und wir konnten sehen, dass es ein Klappmesser mit silberner Spitze war. »Das soll dein Geschenk sein, Dad.« Sie klang aufgeregt und sehr stolz. »Schau mal, was ich gelernt, was ich mir selbst beigebracht habe!« Sie klappte das Messer auf und zielte auf einen braunen Fleck an der Wand, so klein, dass man ihn kaum sehen konnte, weit oben auf der anderen Seite des Raums. »Vorsicht!«, rief Dad. »Halt!« Er stieß seinen Stuhl zurück, griff nach dem Messer und erwischte stattdessen ihren Arm. Merle und ich schrien auf, und das Messer sauste, außer Kontrolle geraten, direkt auf den blinden Kopf des alten Cale zu und schlitzte ihm die Nase auf. »Bist du verrückt geworden!«, brüllte Vater. Er packte Kerrin und knallte sie rückwärts gegen die Wand. Merle fing an zu weinen, und Kerrin schrie ganz fürchterliche Dinge. Nur Mutter besaß die Geistesgegenwart, zu Cale zu laufen und ihm Wasser auf die Nase zu spritzen. Doch der knurrte und schnappte nach ihr, die Schnauze voller rotem Schaum, sodass sie ihm nicht nahe genug kommen konnte, um ihm zu helfen. Da packte Vater ihn von hinten und hielt ihm die Schnauze zu, damit er sie nicht beißen konnte. Der Schnitt war tief und lang, und er blutete, als wäre jede einzelne Ader in seinem Kopf aufgerissen worden. Ich hielt Merle fest, die unablässig weinte, und versuchte sie zu beruhigen, und Kerrin kniete am Boden neben Mutter und begann das Blut aufzuwischen, doch Dad stieß sie weg und brüllte sie an, sie solle sich fortscheren. Es war schrecklich, wie sie in rasender Wut hinauslief, weinend, die Hände zu Fäusten geballt, und ihre Augen … Ich bekam es mit der Angst zu tun, und Merle schrie, als wir diese Augen sahen und den furchtbaren Hass darin. Sie knallte die Tür hinter sich zu und rannte in die Dunkelheit hinaus, obwohl es gerade zu regnen anfing und ein kalter Wind aufgekommen war. Ich stand stumm da, wusste nicht, was ich tun oder sagen sollte, und Merle weinte und weinte. Dann sagte Dad: »Es hat keinen Sinn.« Er hob Cale auf und ging zur Tür. »Das Mädchen hat ihn umgebracht.« Mutter hielt Cale die ganze Zeit den Lappen um die Schnauze, und so gingen sie hinaus, und wir hörten, wie sie zu Dad sagte, dass er es doch gewesen sei, der Kerrin am Arm gepackt habe. Da die Tür hinter ihnen ins Schloss fiel, konnten wir seine Antwort nicht hören, nur eine Art lautes, wütendes Geräusch.

Merle und ich blieben zurück, schauten auf die angeschnittene Torte und das Blut, und nach ein paar Minuten versiegten Merles Tränen, und sie war still. Wir gingen zur Tür und lauschten, und durch den Wind hindurch hörten wir zwei Gewehrschüsse und danach nur noch den Regen, der von den Traufen strömte … »Komm, lass uns die Hühner einsperren«, sagte ich. Ich nahm die Laterne herunter, und Merle zog Mutters Pullover an. Mit dem Pullover, der ihr bis zu den Knöcheln herabhing, und den dicken, von Tränen und Zuckerguss gestreiften Wangen sah sie so ungeheuer traurig und geduldig aus, dass ich meinte, mir müsse das Herz zerspringen.

Im Hühnerhaus war es kalt und still, und das neue Stroh verströmte einen sauberen Geruch. Wir konnten die Tiere im Schlaf rumoren und girren hören. In einer Ecke war ein

Haufen getrocknetes Unkraut, und darauf setzten wir uns, die Laterne vor uns auf dem Boden. Träger Regen wusch das Fensterglas, und wir hörten leises Mäusegeraschel. Wir fühlten uns erschöpft und elend, doch hier draußen im Dunkeln, mit nichts als den Mäusegeräuschen und dem herabgleitenden Regen, schien alles weniger schrecklich und böse.

»Was glaubst du, wo Kerrin hingegangen ist?«, flüsterte Merle nach einer Weile.

»Ich weiß es nicht«, sagte ich. »Aber sie wird schon wiederkommen, irgendwann bald.« Ich hatte keine Tränen, konnte noch nicht einmal weinen, wenn ich an den alten Cale dachte. Ich hoffte, sie würden ihn nicht draußen auf der Weide oder an einem kargen, hässlichen Ort begraben. Und ich dachte auch an die arme Kerrin, die jetzt irgendwo durch den Regen stolperte und sich versteckte, wütend und gepeinigt und rasend wie der Teufel.

»Dann gibt's jetzt wohl keine Party mehr«, sagte Merle. Sie saß dicht an mich gedrängt, und ihre rundlichen, ineinander verschränkten Hände sahen aus wie Fäustlinge.

»Heute Abend nicht mehr«, sagte ich. »Vielleicht feiern wir morgen oder an einem anderen Tag zu Ende.« Aber ich wusste, dass es nie mehr das Gleiche sein würde. Und nach einer Weile, die uns sehr lang erschien, weil die Dunkelheit so still war, nahmen wir die Laterne und schlichen zurück zum Haus.

5

Jene Jahre vergingen langsam für uns. Langsam, weil das Gewicht der getanen Dinge und das größere Gewicht alles Unerledigten und noch zu Lernenden sie beschwerten. Die Jahreszeiten flossen ineinander und hielten niemals still, und doch gab es weder Schnelligkeit noch etwas anderes als ruhige, allmähliche Veränderung. Mitunter nicht einmal das, sondern nur ein Vor und Zurück von Jahreszeiten … lange Regenperioden im Dezemberschlamm und einen Wind wie im April über Winterschnee … späte Erbsenranken, die an Thanksgiving sprossen, Sumpfveilchen im Graupelschauer und weiße Obstwiesen im Herbst, wenn die Bäume ihre Kraft schon vor dem Frühling vergeudeten. Und dazu das doppelte Leben, die zwei Teile, die nicht ineinandergefügt waren, ja nicht einmal parallel liefen. Das eine bestand aus Dingen, die Tag für Tag getrost und nüchtern gehandhabt wurden, manchmal mühevoll, aber solide – man konnte sie anfassen und spürte, dass sie da waren: die Pfannen und schweren Töpfe, die massiven Becher und die fünf Betten, die gemacht werden mussten – Dinge, deren Geheimnis nicht größer war als das der Mittagssonne. Das offen zutage liegende Leben, das größere von beiden Teilen, ruhig, prosaisch … rational. Und dann das innere Entlangwandern am Rand der Dunkelheit, das Hineinspähen in schwarze Türrahmen … die unentdeckte Antwort, die doch irgendwo sein musste und selbst in jener Dunkelheit womöglich nicht zu finden, dort nicht verborgen war … dieses unterschwellige Leben, das nicht da war, wenn man ihm nachspürte oder es festhalten wollte, und das doch immer wieder zurückkehrte und sich wie ein stählerner Deich durch die soliden Schichten des Gesunden und Verstandenen schob. Der Moment der Selbsterforschung, wenn man nachts unter den Eichen stand und fragte: Was? Wer? Was bin ich? … und der Moment, in dem einem das Ich abhandengekommen schien, verloren gegangen oder nie da gewesen. Wo bin ich, Gott? … der furchtbare Wunsch zu verstehen … der Moment der Erkenntnis, dass es Dinge gibt, die weder schlecht noch gut noch jemals einzuordnen sind … die Seltsamkeit, die Kerrin eigen war … Dinge, die wie Bruchstücke eines Meteoriten auf die Gegenwart von Welten jenseits unserer Fassungskraft verwiesen. Und das Verlangen nach einem Ursprung – der Wunsch, die Ursache zu verstehen, der die Quelle aller Religion ist und die Gedanken durch gewundene, dunkle Tunnel führt und nirgends einen Ausgang finden lässt. Diese von der dunklen Qual des Heranwachsens geprägten Jahre – jene Zeit, wenn ein nicht aufgehobener Nagel oder ein Büschel Schafwolle einen nachts mit Angst und Vorwürfen quält. Wenn Träume böse oder gute Vorzeichen sind und zwei sich kreuzende Äste oder eine bestimmte Schattenlänge Bedeutung und Symbolkraft haben … Doch die ganze Zeit gab es hinter alldem die Stille der Hügel und die steinigen Weiden, und ihretwegen schämte ich mich manchmal für das, was ich war – ein Mensch, angefüllt mit tausend wurmgleichen Gedanken und Eigensucht –, doch häufiger waren sie wie heilende Hände.

6

Im März dieses Jahres – zehn Jahre nach dem Tag unserer Ankunft – hatten wir blechgraue Wolken und kalte Winde, und die weiße Asche von Obstgartenfeuern wurde gen Osten geweht und verstreut. Doch seit dem ersten Februar war kein Regen gefallen. »Dieses Jahr muss anders werden«, dachte ich. »Wir haben zu lange geschuftet und gebetet, als dass es so endet wie die anderen.« Die Schulden waren immer noch wie ein bodenloser, unaufgefüllter Morast, in den wir Jahr für Jahr Stunden der Hitze und Plackerei auf steinigem Land hineingeworfen hatten, nur um zuzusehen, wie sie verschlungen wurden, und danach zurückzukrauchen und wieder von vorn zu beginnen. Aus irgendeinem Grund war ich überzeugt, dass dieses Jahr anders und besser enden und nicht nur auf eine Verschiebung der Jahreszeiten hinauslaufen würde, die uns in Fesseln hielt und zum Warten zwang. Wir waren zu lange durch einen Nebel der Hoffnung gegangen.

Das Leben meines Vaters war eine Art erbittertes Kriechen, um die Schulden loszuwerden, bevor die Zeit käme, da schon der bloße Versuch zu schwer für ihn wäre. Er wünschte sich ein wenig Sicherheit für uns und dass wir frei wären von jenem Bangen und Zweifeln, das er selbst nur zu gut kannte. Und er wünschte sich Zeit, um zu schauen und still zu sein. Er liebte das Land mit einer Art Besitzerstolz – einfach weil es ihm gehörte und für uns von Bedeutung war; nicht so, wie Merle und ich es liebten und noch immer lieben: um seiner selbst willen, als etwas, was eine Art Ekstase und Heilung schenkt (große Wörter, doch selbst sie sind zu blass). Die Liebe, die wir empfanden, war eine namenlose, nicht völlig verstandene Liebe. Aber für Vater war das Land damals sein Leben. Das ganze Gewicht seines Strebens, die Hoffnung und Gesundheit seines Geistes ruhten auf dem Boden unter seinen Füßen. Die schwere, ihn anstrengende körperliche Arbeit mit ihrem unsicheren Gewinn war fast das einzige sichtbare Zeichen der Liebe, das er uns je gegeben hat. Allerdings eines, an dem ich nie zweifelte.

Vater war insofern wie Kerrin, als er das Meisterwerk einer Larve nicht sehen oder sich über den Schatten eines Blattes nicht freuen konnte; in dieser Hinsicht waren wir älter als er, dafür umso jünger in unserer Blindheit gegenüber der schweren Verantwortung, die er trug, oder jener bohrenden Angst, die ihn auf Kosten unseres Glückes nach Sicherheit trachten ließ. Manchmal denke ich, dass er ein milderer, geduldigerer Mann gewesen wäre, hätte es in unserem Haus Söhne gegeben anstatt immer nur Mädchengespräche und Frauenstimmen. Das Leben ist schon einsam und isoliert genug, auch ohne die dicke Mauer der Geschlechter, die es noch dunkler macht. Später redeten wir nicht mehr so viel, doch in den ersten Jahren waren wir der reinste Haufen Perlhühner, unentwegt gackernd und quackelnd. Es ärgerte ihn, dass wir durch das Leben anderer Menschen staksten und darin herumstocherten und uns erzählten, was wir gehört hatten. »Seid still!«, rief er dann. »Seid still und haltet euch aus den Angelegenheiten anderer heraus!« Und manchmal waren wir ihm deshalb gram gewesen. Auch meinte er wohl, wir machten ihm einen Vorwurf daraus, dass von allem, was er jahrelang angehäuft hatte, nur dieses Land übrig geblieben war; in Wahrheit hatten wir darüber nie nachgedacht und freuten uns, dass das Land alt und steinig und voll ungelichteter Wälder war.

Und auch Mutter warf es ihm weder in Worten noch in Gedanken vor. Sie wollte nur dort sein, wo Vater war, sei es der Garten Eden oder Scheol selbst, und welche Gestalt dieser Ort annahm, spielte für sie weiter keine Rolle. Er aber war so groben Sinnes, dass er uns alle verdächtigte.

Wir schienen nie in die Lage zu kommen, viel Überschuss zu erwirtschaften. Alles, was wir über die reinen Lebenskosten hinaus sparen konnten – ein Leben einzig durch den Mund und den Geist, ohne je etwas Neues außer den Jahreszeiten oder unseren Gedanken –, floss in die Abzahlung der Hypothekenschuld. Es wäre so wenig nötig gewesen, uns glücklich zu machen. Etwas mehr Ruhe, etwas mehr Geld – das Quälende war die Nähe eines solchen Lebens, wie wir es uns wünschten. Und Dinge, die mehr gekostet haben, als sie wert sind, hinterlassen einen bitteren Nachgeschmack. Einen Geschmack von Salz und Schweiß.

Der Frühling pirschte sich langsam an in diesem Jahr und wich gezeitenähnlich zurück. Die Farne kamen wieder, grüne Krummstäbe und Alraunen, die sich wie Giftpilze aus dem Gras wölbten. Ich war manchmal ganz ausgelaugt und hätte nichts dagegen gehabt, von einem Robiniendorn aufgespießt und den Würgern überlassen zu werden. Wozu letztlich das Ganze? Die endlos strapazierte Hoffnung ... die nie erfüllte Sehnsucht ... vier Uhr früh und ein eisgrauer Morgen ... Kühe und Dunkelheit ... die Kannen im nebligen Lichtschein gewaltig ... ein kalt und windig angebrochener Tag ... Max, düster wie ein roter Lehmklumpen ... das unablässige Kochen ... der saure Rand der Kübel ... Vaters graue Hemden, die den ganzen Tag im Wasser weichten ... Es schien keine Antwort zu geben, und so lag die Antwort einzig im Vergessen.

Doch manchmal waren die Tage schon warm. Der Frühling kam zuerst in die Luft und dann ins Leben der Dinge.

Die Ulmen waren grün wie Schwefelrauch oder wie Staub aus einem trockenen alten Pilzgeflecht; die Haselwurz war noch auf ihren Wurzeln festgedrückt, wenn auch grün mit silbernem Schimmel, und in der Schlucht entdeckte ich eine Mokassinschlange, zusammengerollt und hasserfüllt, während ihr ununterbrochen das kalte Frühlingswasser über die Haut floss, bis mir vom bloßen Zuschauen selber ganz kalt wurde. Der Boden war hart. Pflanzen kämpften sich mit gebeugten Köpfen aus ihm hervor. Vater begann zu pflügen und nahm in diesem Jahr mehr vom Wald weg. Einige Hektar wilder Phlox wurden zu Mais. Es hatte keinen Zweck, irgendetwas dagegen einzuwenden. Nicht einmal Merle versuchte es noch. Vier Bäume wurden gefällt, zwei Nadeleichen und zwei Ahorne, und die Eichen hatten einen seltsamen öligen Geruch. Keine Pfirsiche dieses Jahr. Die Blüten spärlich, nur ein oder zwei pro Ast; doch die Apfelknospen waren dick, die Birnbäume reich bedeckt. »Ein gutes Jahr«, sagten wir, »- wenn nichts passiert.« (Ich fragte mich, ob es irgendwo auf der Welt Menschen gab, die sagen konnten, so und so wird es kommen, mit Gewissheit. Kein Bauer konnte das.) Ein gutes Jahr – und das Land gehörte wieder uns. Ich stellte mir ein Leben ohne diese Last vor, so herrlich, dass einfach am Leben zu sein schon genug wäre. Doch Hoffnung war damals alles, was wir hatten; nicht einmal glauben konnten wir – es sei denn, eine Hoffnung, so stark und hartnäckig, dass nichts sie entwurzeln kann, heißt Glaube.

Es war seltsam, wie wenig Regen in jenem Monat fiel, und wir dachten, der nächste würde eine Flut bringen.

7

Als Kerrins Schule im April dieses Jahres schloss, graute mir
bei der Vorstellung, dass sie jetzt den ganzen Tag zu Hause
wäre. Schon damals, vor acht Monaten, schien mir, dass
etwas Grundlegenderes mit ihr nicht stimmte als nur heftige Selbstsucht und Unzufriedenheit. Das Unterrichten
hielt den schwarzen Strom dessen, was seinen Ursprung bei
ihrer Geburt genommen hatte, nur eine Weile in Schach.
Vier Jahre nach unserer Ankunft hatte sie angefangen, als
Lehrerin an der Union County School zu arbeiten, obwohl
sie da erst neunzehn war und es im Vorstand ein paar Leute
gab, die es falsch fanden, sie auch nur als Vertretung für Ally
Hines einzustellen. An ihrem Alter störten sie sich nicht so
sehr wie daran, dass wir nie in die Kirche eingetreten
waren; und es hieß wohl auch, sie sei »nicht die Richtige«,
doch das löste sich in ein mildes Nichts auf. Kerrin war
eine genauso gute Lehrerin wie Ally Hines und arbeitete
viel härter, als diese es mit ihren Krebsgeschwüren in den
Knochen und ihrem Husten je hätte tun können. Ally war
mitten im Jahr krank geworden, und Kerrin hatte von sich
aus um die Stelle nachgefragt. Die Leute im Vorstand hätten nie an sie gedacht oder sie in Betracht gezogen, doch
als sie hörten, dass sie die Highschool abgeschlossen hatte
(mehr hatte Ally auch nicht vorzuweisen), stellten sie sie
ein, ratlos, was sie sonst tun sollten, und verwirrt von Allys
Krankheit, die in ihren Almanachen nicht berücksichtigt
war. Wir waren froh, nicht nur wegen des Geldes – das
Kerrin für sich behielt, weil sie wusste, dass es ihr eine Art
Macht verlieh, selbst wenn sie es irgendwann würde ver-

borgen müssen –, sondern froh, weil sie dann nicht zu Hause war.

Selbst wenn sie schwieg oder las, konnte ich in Kerrins Gegenwart keine Ruhe finden. Niemand von uns konnte das. Wann immer sie zu Hause war, gab es allein draußen auf den Feldern etwas Frieden. Manchmal kam ich heim und wusste, ohne sie zu sehen oder zu hören, ob sie da war oder nicht. In welcher Stimmung sie auch sein mochte – und es gab Zeiten, da konnte Kerrin fast übermäßig glücklich und freundlich sein –, die Anspannung, ja die Angst, was sie sagen oder tun könnte, verschwand nie.

Sie war eine gute Lehrerin, wohl weil sie all die pummeligen Kinder so weitgehend verstand, wie niemand außer Gott das gekonnt hätte, und sie mit einer Art harter Milde und Disziplin an sich band. Sie hatte Erfolg, weil sie sich wirklich um sie sorgte und es für wichtig hielt, dass sie die Staaten und die Gesetze und die Jahre kannten, in denen etwas geschehen oder zu Ende gegangen war; dabei war es ihr egal, ob sie selbst all das für immer vergaß. Sie fand es aus irgendeinem Grund wichtig und wertvoll für die Kinder, 1066 und das Geheimnis der Quadratwurzel zu kennen, und fragte sich nie, warum genau, und konnte es ihnen just deshalb so gut und gründlich beibringen. Es gibt eine Triebkraft – eine in der Blindheit liegende Energie –, die fragenden und aufgeschlossenen Menschen fremd ist, jenen, die durch Denken zum Zweifeln gebracht werden und von da durch alle Stadien der Vergeblichkeit und Verzweiflung, bis sie gelähmt sind und außerstande, selbst Kindern, die sich nicht auf Spott verstehen, diesen oder jenen Weg zu weisen. Doch Kerrin, die selbst alle Gesetze durchlöcherte, fand ein fanatisches Vergnügen daran, Gesetz und Ordnung in ihre friedfertigen, arglos klaffenden Kehlen zu stopfen. Die Kinder liebten sie, und manchmal brachte sie ein oder zwei nach der Schule mit nach Hause, einfach so, weil sie es gerne wollten. Wenn es kleine Jungs waren, unterbrach Vater seine Arbeit und unterhielt sich eifrig und gutmütig mit ihnen, zeigte ihnen die Schweineställe oder die Wasserpumpe am Teich und lachte über alles, was sie sagten, ganz gleich, ob es klug oder töricht war. Auch Kerrin mochte die Jungs lieber, ihre Gesichter seien nicht so dumm und ihr Verstand schalte schneller, während die Mädchen schon naive Ehefrauen seien – zwar nicht stumpfsinnig, denn ihre Zungen klapperten wie die Mühlräder, aber schon eng von Konventionen begrenzt, mit einer dicken Mauer zwischen sich und allem Unbekannten; aber Kerrin spürte auch nicht den Drang, ihnen einen Ausweg zu zeigen oder ein Loch in die Mauer zu schlagen, durch das diese Kinder ihre Nase hätten stecken und fliehen können. »Landeier und Pachtbauern«, sagte sie. »Ein Lincoln wird dabei nie herauskommen. Gerade schlau genug, um Lehrer zu werden, vielleicht, und zu wiederholen, was sie gelernt haben. Warum sollte ich mir mehr Mühe geben? Sie wollen nur so viel wissen, dass sie irgendwo hinter einem Ladentisch stehen können und sonntags in einem Ford herumfahren. Und in der Lage sind, Zeitschriften und Kataloge zu lesen. Wenn sie nach mehr streben, können sie ja woanders hingehen und es sich holen! Das wird bloß keiner von ihnen je tun …«

Es stimmte und stimmte auch nicht – was sie über die Kinder sagte. Die Menschen wurden nicht mehr erdgebunden geboren. Sie kamen und gingen, entfernten sich und kehrten wieder, nicht wie die Gezeiten, sondern auf verstreuten Wegen und in unregelmäßigen Abständen. Sie kamen zum Land zurück, so wie wir gekommen waren, nach Jahren eines anderen Lebens, und brachten Neues zu alten Dingen, ein anderes Sehen als das der Männer, die schon mit dem Geräusch brüllender Kälber in den Ohren und dem Geschmack von Schlamm im Mund geboren waren. Es gab keine völlig ungebrochene Einsamkeit mehr, keine vollständige Isolation – außer der allerletzten des Ich. Hätte Kerrin beschlossen, den Kindern die unzähligen Facetten des Lebens nahezubringen, allein die Seltsamkeit des Atems, wären sie vielleicht nicht so blind und beschränkt geblieben, selbst wenn sie so gleichgültig waren, wie sie meinte. Aber vielleicht sah auch sie diese Dinge nicht, vielleicht hatte sie selbst ein klaffendes Loch in sich und war dadurch rastlos und voll unklarer, gereizter Stimmungen, vor allem jedoch einsam.

Ich hoffte, sie würde dieses Jahr genügend Arbeit finden, damit sie ruhig blieb, und wünschte, der August mit dem Schulanfang wäre nicht so fern, obwohl wir ihre Hilfe weiß Gott gebrauchen konnten. Sie war Vater nützlicher gewesen, als sie es selbst gewusst hatte, und während sie in der Schule war, hatte er für vieles doppelt so lange gebraucht. Er war langsam und fummelte ungeschickt am Zaumzeug herum, riss und stieß die Pferde, bis sie mit den Hufen gegen die Wände schlugen. Sonst hatte Kerrin all das für ihn gemacht, hatte ihnen die Bissen zugeschoben, rasch und gereizt, aber ohne Zögern oder ungeschickte Versuche. Mit einer Art verächtlicher Sicherheit. Sie hatte sie meist am Mittag gefüttert, ihnen Mais hineingeworfen, wohlmeinend und doch garstig, die Gier der Tiere verfluchend. Wenn sie fort war, stand in den Ställen der Mist und schimmelte, und Vater beließ es dabei, weil wenig Zeit war. Doch als die Schule dieses Jahr schloss, schien sie all die Dinge, die sie sonst immer getan hatte, vergessen zu haben, und wir bekamen sie nur mit Genörgel zum Arbeiten.

Ich wünschte, all die Kraft, die sie auf den Hass und die Suche nach etwas verschwendete, was sie nicht einmal selbst benennen konnte, wäre uns zugutegekommen. Aber

Kraft allein hätte uns nie groß geholfen, das wusste ich, und auch wenn wir neun Farmen bewirtschaftet hätten, wären wir auf weniger als den Geldertrag von einem Morgen Land gekommen. Kerrin kümmerte es nicht, ob das Sumpfloch unserer Schulden gefüllt wurde oder nicht, und für sie war das Land nur ein Ort, wo man sein konnte, und so einsam, wie Berggipfel oder Inseln es sind.

Sie verbrachte jetzt den Großteil ihrer Zeit mit Lesen, wie früher, als wir Kinder gewesen waren – las anscheinend alles, was sich auf den Regalen stapelte. Sie lag dann so da, dass ihr hartes, braunes Gesicht seinen Schatten auf die Seite warf, und fraß sich durch die Bücher, die den Großvätern gehört hatten – alte Bücher, Seite für Seite ohne einen Absatz oder ein Bild, angefüllt mit Philosophien, so düster und trübselig wie die Einbände, nur vielleicht haltbarer als diese. Sie verbrachte Stunden damit, sie durchzulesen, ohne bei einer bestimmten Seite oder zu einer bestimmten Zeit aufzuhören, wie Merle und ich es machten, etwa um das Geschirr zu spülen oder in der Erde zu scharren und einen Garten anzulegen. Sie hielt sich nie an Gesetze oder Zeiten, noch dachte sie an ihre schmerzenden Augen, sondern glaubte mit beinahe religiöser Kraft, dass etwas so sein musste, wie es da stand, wenn sich jemand schon die Mühe gemacht hatte, es ernsthaft niederzuschreiben und als Buch binden zu lassen.

Selbst wenn wir mehr Geld gehabt hätten, bezweifle ich, dass Kerrin zufrieden gewesen wäre. Sie trug die Wurzel ihrer Unruhe in sich, keine Wurzel der Sorte, die das Ich vor- und aufwärts zur Vollendung schob und es mit Freude nährte, sondern ein vergiftetes Ding, das seine Kraft verschwendete, indem es da und dort nach unten drängte und, wo immer es eingepflanzt wurde, nur flachen oder steinigen Boden fand. Ich wusste, dass sie sich Liebe wünschte –

keine, die wir ihr geben konnten, karg und altjüngferlich, und auch nicht die von Vater (auf die zu hoffen sie längst aufgegeben hatte), sondern die Liebe eines Mannes, in der sie das Bild gespiegelt sehen könnte, das sie von sich selber hatte und das dadurch halbwahr würde. Ich wusste, dass es diese enorme Rastlosigkeit und Sehnsucht war, dieses Verlangen, das sie dazu brachte – auch nachdem sie den ganzen Tag unterrichtet und in der Nacht Milch heraufgetragen und all die Dinge getan hatte, die sich unerledigt ansammelten, als hätte der Tag sie wie einen Müllhaufen aus Stundenresten ausgekippt –, nachts mit den Farmern auf Fuchsjagd zu gehen oder bis zum Morgengrauen allein umherzulaufen, über die Sumpfgräser und Unkräuter oder an den dämmrigen, zerfurchten Straßen entlang. Ich kauerte in diesen Nächten frierend im Bett oder am Fenster, von dem Verlangen getrieben, sie kommen und gehen zu sehen, und konnte nicht schlafen, bevor der leere Mondfleck auf ihrem Bett nicht durchbrochen war und ich das Licht auf ihren knochigen Armen glänzen sah.

Auch ich fühlte mich manchmal leer und durstig, träumte wilde, unmögliche Träume, wurde aber durch das Muster eines Schattens oder eines Topfs auf dem Herd leicht wieder daraus vertrieben und auch von einem trockenen Sinn für Humor, der meinen Geist dazu brachte, stets voranzuspringen, um das Ende der Traumvision zu sehen. Nicht einmal an Aprilabenden, schwer vom Traubenduft, oder inmitten der Regungen des Schattenlaubs konnte mein Geist vergessen, dass es unausweichlich Mittag werden würde.

8

In diesem Jahr ging ich an Vaters Geburtstag zu dem alten Wall, wo wir Cale begraben hatten. Merle und ich hatten dort ein paar Steine zu einer Art Hügelgrab gehäuft und Haselwurz gepflanzt. Manchmal bekamen wir mit, dass Kerrin den Hügelpfad hinaufging, und einmal, vor Jahren, hatten wir sie auf dem Steinhaufen weinen sehen und waren weggeschlichen, als hätten wir es nicht bemerkt. Wir fanden das seltsam, denn wir hatten seither nie mehr geweint, dabei hatten wir ihn zu seinen Lebzeiten so sehr geliebt – viel mehr als sie, dachten wir. Doch da bin ich mir jetzt nicht mehr sicher. Kerrin hatte eine merkwürdige Art, Dinge dem Anschein nach nicht wahrzunehmen oder sich nicht darum zu scheren, und dann fanden wir Jahre später heraus, dass die Empfindung doch da war, lebhaft und heftig, unter einer dünnen Schicht Gleichgültigkeit.

Die Steine waren umgekippt und von Wurzeln auseinandergedrückt worden, doch die Haselwurz bedeckte das Grab noch immer wie die Blätter wuchernden Efeus. Ich entdeckte Kerrin unten auf der Straße und fragte mich, ob sie zum Hügelgrab kommen würde. Sie war in mancher Hinsicht seltsam sentimental und spielte kleine Rollen für sich selbst, auch wenn ihr niemand dabei zuschaute, und es hätte ihr ähnlich gesehen, an diesem Tag herzukommen. Aber sie ging weiter zum Stall, schaute nicht herauf und bog nicht ab.

Wir feierten Vaters Geburtstag nicht mehr, trotzdem hätte ich ihm gern etwas aus dem Wald mitgebracht, irgendetwas Simples wie eine Knospe oder einen Stein, damit er wusste, dass ich an den Tag gedacht hatte. Es war schwer, einfache Sachen zu schenken, und ich fragte mich, ob ich mich wirklich freute, dass er geboren war, und Grund hatte, den Tag als etwas Besonderes erscheinen zu lassen. Wenn ich Geld für ein Geschenk ausgegeben hätte, wäre er wegen der Kosten besorgt und argwöhnisch gewesen wie immer, hätte wissen wollen, woher ich es hatte, und schon vorausgesehen, wie uns wegen einer 10-Cent-Krawatte die Farm unter den Füßen weggekauft wurde.

Wir ließen den Tag ohne viele Worte verstreichen, und ich glaube, er hatte dessen Bedeutung selbst vergessen, aber immerhin gab es in diesem Jahr ein Ereignis, das ihn von anderen Tagen unterschied.

Vater kam am Abend müde zurück, während Merle Kartoffeln schälte, wobei sie die Schalen dick und kräftig abschnitt, den Kopf wie immer voll von irgendetwas Seltsamem, das sie gedacht oder auswendig gelernt hatte, sodass sie kaum merkte, was sie tat. Er lächelte sie gedankenverloren an, mehr aus Gewohnheit als aus gegenwärtigem Wohlwollen, wie in den Tagen, als sie klein gewesen war und ihr die Haare, borstig und verfilzt, wie mit Unkraut durchsetztes Gras vom Hinterkopf abgestanden hatten. Er wandte sich Mutter zu, warf seinen Hut auf den Tisch und wischte sich über das feuchte, gefurchte Gesicht. »Max kommt nicht wieder«, sagte er. »Lohnt sich wohl nicht, für mich zu arbeiten!« Er schaute Mutter an, als wäre sie diejenige, die Max vertrieben oder durch irgendein Versagen nicht gehalten hatte.

Doch was sie hörte, war nicht seine bittere Stimme und auch nicht der Vorwurf darin. Ihre ganze Sorge richtete sich auf die Bedeutung dessen, was er gesagt hatte. Die Bedeutung für ihn und Max. »Was ist denn passiert, Arnold?«, fragte sie. »Was ist mit Max?« Sie sah ihn schon krank vor sich, tödlich verletzt, vom Wagen abgeworfen und im Sterben liegend. Sie lebte im Leben anderer, als hätte sie kein eigenes.

»Gar nichts ist mit Max«, sagte Vater. »Der ist jetzt da, wo er mehr Lohn kriegt. Beim Straßenbau. Hat mich im Regen stehenlassen. Ich hab ihn fürs Pflügen bezahlt und wollt's beim Mais über eine Halbpacht machen. Ich hab nicht das Geld, einen Mann dafür zu bezahlen. Irgendwer muss es über eine Halbpacht machen.«

»Vielleicht kannst du den Mais ja verkaufen«, sagte Mutter. »Jemanden bezahlen, der dir hilft, und den Mais diesen Herbst verkaufen.«

Vater lachte. Ein Geräusch, das eher wie ein Prusten oder Hohnlachen klang, als wäre er froh, dass sie sich irrte. »Wenn er gut ist«, sagte er, »ist auch der von den andern gut. Das Land wird in Mais ertrinken – wie soll das denn einer wissen?«, rief er aufgebracht. »Man müsste doch in der Lage sein, das Zeug zu verkaufen, das man anbaut! Irgendwer braucht es doch. Eine Farm müsste genauso viel einbringen wie eine Straße. Eine Straße ernährt doch keinen!« Er sah alt aus – alt und kindisch zugleich. Als würde er gleich in Tränen ausbrechen. Es war schrecklich – die Wut, die er empfand; aber mehr noch als sein Zorn war es seine Verzweiflung, die uns Angst machte.

»Vielleicht könnte Christian Ramsey kommen«, sagte Mutter. Sie brachte die Wörter zweifelnd vor, tastete sich vorsichtig an Vaters Geist entlang.

»Christian ertrinkt jetzt schon darin. Hat sein ganzes Bachbett voll. Was will er mit noch vier Hektar mehr?« Er klatschte ihr die Worte grob hin.

»Dann vielleicht Grant Koven«, sagte Mutter. Sie wusste, dass nichts je so überwältigend oder endgültig war, wie er zu glauben schien – dass es, wenn er abwarten würde, anstatt zu brüllen, am Ende weniger zu brüllen gäbe.

»Nein«, sagte Vater. Er stieß ihre Vorschläge von sich, als wären es dumme Ideen, die er schon vor Stunden gehabt und für zwecklos befunden hatte. Er starrte auf seine Hände. Missmutig und müde, mit weichendem Zorn. Dann wandte er sich ruckartig zu Merle um, sah die halb geschälten Kartoffeln mit den Schalen ringsum und fragte, wann es Essen gebe. »Wenn ihr's bald fertig hättet«, murmelte er, »könnte ich nachher noch zu den Kovens.«

Ich war froh, dass Kerrin zu dieser Tageszeit nicht nach Hause kam. Sie blieb extra draußen in den Ställen oder auf dem Feld, bis das Abendessen fertig war, und manchmal kam sie auch dann nicht heim, sondern aß später allein, heimlich und heißhungrig. Sie schöpfte den Sirup der Süßkartoffeln mit den Händen aus dem Teller und wischte die Bratpfanne mit Brotstücken aus. Vater hörte nach einer Weile auf, nach ihr zu fragen, und wenn sie dann doch einmal kam, schaute er sie argwöhnisch an, weil er irgendeinen verborgenen Grund vermutete. Ich gewöhnte mich nie an seine unsägliche Ungeduld und war die ganze Zeit von Abscheu und Mitleid gequält. Schon früher, als wir kleiner waren, hatte ich ihn manchmal am Tisch beobachtet, wie er dasaß und aß und etwas auf dem Teller übrig ließ und nicht viel sagte, mit diesem müden Gesichtsausdruck, der mich manchmal fast zum Weinen brachte, auch wenn ich schnell wütend auf ihn wurde, wenn er uns plötzlich anherrschte: »Nun esst schon auf, Mädchen! Spielt nicht mit eurem Essen rum!« Die ganze Zeit jedoch spürte ich, wie wir ihm auf den Schultern lagen, schwer wie ein Stein auf seiner Seele – unsere vier Leben, die er immer mit sich herumtragen musste. Und ohne Geld.

Kerrin sagte einmal, er erinnere sie an den wahnsinnig gewordenen König Lear, und fragte sich, ob die Töchter nicht letztlich ganz falschgelegen hätten. »Er war ein wilder alter Mann und schon halb verrückt. Wie konnten sie mit so einem vernünftig zu reden versuchen?« Sie las das Stück mit einer Art düsterem Vergnügen und lernte ganze Seiten davon auswendig – hauptsächlich die kalten, rationalen Worte von Goneril und dann, mehr des Klangs wegen, Edgars Heulen auf der Heide. Ich war froh, dass sie an dem Abend nicht da war und ihn weder beobachten noch sich ihre Gedanken über ihn machen konnte, wie er da am Tisch saß und mit den Fingern auf das Tuch trommelte, nicht hungrig, sondern erschöpft und ungeduldig. Kaum war das Essen fertig, ging er zu den Kovens.

Ich hatte Grant noch nie gesehen, Merle hingegen war ihm einmal begegnet, vor langer Zeit, als sie noch klein war und er auf der Suche nach einem entlaufenen Pferd bei uns vorbeikam. Viel hatte sie nicht in Erinnerung behalten, nur dass das Tier, das er ritt, müde war und er es bei den Ställen ließ und zu Fuß weiterging. Sie gab dem Pferd etwas Wasser, und als er zurückkam, wusch er ihm mit dem Rest den Kopf und die Flanken. Seine Hände seien so groß wie Schaufeln, sagte sie, aber viel mehr war ihr nicht aufgefallen. Kerrin hätte sich alles gemerkt; was für Kleidung er trug, was er gesagt hatte und vieles, was er nicht gesagt hatte. Grant sei jetzt ungefähr einunddreißig, sagte Mutter. Nach der Schule sei er fünf Jahre von zu Hause fort gewesen und habe auf Ranchen und in Bergwerken gearbeitet, doch jetzt lebe er wieder auf der Farm seines Vaters. Bernard Koven war früher Pfarrer gewesen, hatte dann dieses Stück Land gekauft und war zur Landwirtschaft zurückgekehrt, solange er noch einen Zehnten gespart und Atem genug hatte, um davon Gebrauch zu machen. Sie besaßen nur Weideland, das gerade mal für Wollkraut und zum Grasen taugte, und hielten sowohl Rinder als auch Schweine. Sie betrieben keine Milchwirtschaft noch sonst etwas von alldem, was Vater angefangen hatte und unter größter Anstrengung weiterführte – jedes für sich genommen schon zu viel für einen einzelnen Mann.

An jenem Abend ging ich allein hinunter zu dem Teich im Wald. Es war kalt und windig. Fast zu kalt für Regen. Die Frösche sangen ohrenbetäubend laut, verstummten aber jäh, als ich kam. Sie klangen wie im Wasser schnatternde alte Frauen. Ich blieb stehen und lauschte, konnte aber an nichts anderes denken als daran, ob Grant kommen würde oder nicht, und fragte mich, ob er ein Mann war wie Vater. Es war schwer, sich eine andere Art vorzustellen, und schwerer noch, ihn sich jung zu denken. Seltsam schien auch, dass jemand bei uns wohnen würde, der sich von uns unterschied, ein Mensch mit Wissen, das gelehrt wurde, einer, der über die Grenzen dieses Bezirks und dieses Staates hinausgegangen war und Dinge durch Anschauung gelernt hatte, anstatt nur von ihnen zu lesen. Vater hatte das auch getan, aber jetzt war es, als hätten diese zehn Jahre Landwirtschaft alles, was hinter ihm lag, ausgelöscht und er unterscheide sich nur noch wenig von den Leuten ringsum – den Ramseys und Huttons und Mayers, die zwar eine Menge wussten, es aber nur von dieser einen landgebundenen Seite aus sahen.

Es war erbärmlich kalt. Der Boden selbst am Teichufer hart. Nichts Frühlingshaftes irgendwo, und selbst die Wildpflaumen trüb wie ein schmutziges Spinnennetz. Dennoch war ich aufgeregt, von einer Art namenloser Hoffnung erfüllt. Dieses Jahr, dachte ich, wird anders werden … besser.

Ich stand dort so lange, dass die Frösche glaubten, ich

wäre gegangen, und wieder einsetzten, knarzend und schnarrend, weit voneinander entfernt – und dann kam der schrille, irrwitzige Chor aller ihrer Stimmen, emporgeschleudert wie Lärmspeere und wieder in die Stille zurückfallend.

9

In den Tagen bevor er zu uns kam, machte ich mir eine
Menge Gedanken über Grant. Merle dagegen wirkte wenig
interessiert und hoffte nur, er würde nicht so viel essen.
Kerrin sagte gar nichts, vielleicht wusste sie nicht einmal,
dass er kommen würde. Sie war ja nie da, wenn etwas mit-
geteilt wurde, und tat hinterher so, als gäbe es eine Ver-
schwörung des Schweigens gegen sie. Einmal in jenen
Tagen hatte ich eine seltsame Vorstellung, als ich Kerrin
anschaute. Wenn ich so aussähe wie sie, dachte ich, und
wüsste, dass nichts je etwas daran ändern könnte – weder
Krankheit noch Angst noch Missgeschick noch Alter oder
was auch immer –, dann würde mich nichts mehr groß
kümmern, nichts mehr beunruhigen. Kerrin war auf eine
dunkle, eigentümliche Art schön, mit einer braunen, kalten,
straff gespannten Haut und wilden Fohlenaugen. Manchmal
stand sie vor dem Spiegel und drehte den Kopf hin und her
oder fuhr sich mit gespreizten Fingern durchs Haar, das
eher wie dichtes rotes Licht war, nicht ganz wirklich. Sie
reckte und streckte den Hals, um zu sehen, wie weich und
sirupartig das Licht auf ihren Wangen wirkte, und dann
fand ich es traurig, dass all ihr Liebreiz an uns verschwendet
war und nur ein paar scheue, tollpatschige Kerle sie zu sehen
bekamen oder Bauern, die schon verheiratet waren.

Ich fühlte mich klein und gemein dabei, sie so zu be-
neiden und mir eine Schönheit zu wünschen, die durch
nichts je veränderbar wäre. Ich mochte es mir kaum selbst
eingestehen, aber es war so. Damals fragte ich mich oft, wie
Männer, die gemordet oder grobe und widerwärtige Dinge

getan hatten, mit dem Ich weiterleben konnten, das sie dazu getrieben hatte und das noch in ihnen war wie ein Wurm oder eine Geschwulst; jetzt merkte ich, wie einfach es war, sich herauszureden. Wie erstaunlich gütig und nachsichtig wir mit uns selbst sind! Welche unendliche Geduld wir da haben!

Ich ging zum Spiegel und betrachtete mein Gesicht. Es war etwas Unstimmiges und Stumpfes in seinen Zügen. Ein blasser Schmierfleck, kein Leben in der Haut und der Mund wie ein Schnitt quer darüber. Ich war gewöhnlich – o Gott, so gewöhnlich! Allerdings hatte ich schon biederere Menschen als mich gesehen und mich nicht besonders an ihnen gestört – einige von ihnen sogar gemocht. Ich versuchte mich damit zu trösten, erinnerte mich aber, dass sie *markante* Gesichter hatten. Wir – sie und ich – schienen, verglichen mit den anderen Dingen, wie eine Krankheit auf der Erde zu sein. Unser Leben, unsere Gebäude, ja sogar unsere Gedanken eine Art Leiden, das die Erde erduldete. Das waren groteske, morbide Grübeleien, die in der unerträglichen Reinheit dieses Frühlings oft wiederkehrten.

Ausgelöst von Grants Kommen, gab es allerdings auch Gegenwärtigeres in meinem Kopf, und beim Anblick der grünen Ulmen und des geisterhaften Grüns neuer Platanenblätter war manchmal sogar der kleine Stachel von Kerrins Rückkehr vergessen. Die Pappelkätzchen erblühten von den höchsten Ästen abwärts und sahen aus wie schwingende rote Eichhörnchenschweife. Die oberen Blätter fielen schon ab, während die unteren Zweige noch in Blüte standen, und ihre wachsgelben Schnäbel lagen im Gras. Ich wünschte mir, wir könnten vom Anblick dieser Dinge leben (es wäre auch viel billiger, sagte Merle), aber sie waren nur ein Teil von allem und konnten nicht jeden zufriedenstellen. Die meisten Menschen sind mit Blindheit für alles Neugeborene geschlagen – mit einer nicht unheilbaren Blindheit, denn der Anblick ist ja da, nur sein Wert nicht erkannt. Merle und mir dagegen schien es, gleich nachdem wir hier angekommen waren, als wären unsere Herzen kleine, verschrumpelte Dinger, so eng und voll fühlten sie sich an von all der Schönheit, die wir nur augenbreit zu fassen vermochten, und wir fragten uns, ob sie wohl wachsen und am Jahresende bersten würden von all den Nächten und Tagen und Jahreszeiten, die sie in sich aufnehmen mussten, der Veränderung von Stunde zu Stunde, ja von Minute zu Minute, wenn die Wolkenschatten die Hügel hinauf- und hinabglitten.

In jenen ersten Jahren hatte es Merle und mir genügt, zu lesen, zu essen und zwischen den Hügeln am Leben zu sein. Von Anfang an hatten wir uns hier verwurzelt und geborgen gefühlt wie die zwei Buscheichen, die zusammen auf der Nordweide wuchsen und im Herbst lackrot wurden und ihre Wurzeln unter den weißen Simssteinen ausbreiteten. Wir nannten sie Zwillinge, und ihre inneren Äste waren kurz und ineinander verhakt, sodass ihrer beider Gestalt nur einen Baum mit zwei Stämmen ergab.

Zu keiner Stunde veränderte sich das Leben jäh, noch gab es einen Moment, von dem man sagen könnte, er hätte uns gänzlich geformt oder gewandelt. Wir waren das allmähliche Anwachsen der Tage selbst, wie Koralleninseln aus unzähligen Dingen zusammengesetzt. Waren der Moment der Abendluft zwischen dem Herd und dem Brunnen draußen ... das Geräusch des an den Fensterrahmen zerrenden und zeternden Windes ... das Fleisch von Maiskörnern ... Angst – Angst vor dem Schatten der Laterne ... Angst wegen der Hypothek ... kalte Milch und saure rote Rüben ... die grünen Bohnen und das im Mund zerbröselnde Maisbrot ... abermals Angst ... und die Stimme von

Kerrin, die im Kälberpferch vor sich hin sang … das Gefühl von Sicherheit in Mutters Nähe … die ruhige Zuversicht, die sie in sich trug und ringsum ausstrahlte wie
Wärme … unser Miteinander und eine herrliche Lust, da
zu sein, zu leben und zu wissen, dass es ein Morgen und
weiß Gott wie viele Morgen danach geben würde, jeder
einzelne ein Leben und an und für sich schon genug …
Ergänzt wurden wir durch den Schatten des Laubs und das
Laub selbst … durch die blauen Wellungen auf dem Schnee
und den klirrenden Ruf des Eisvogels, auch wenn die
Bäche zugefroren waren. Wir waren die grünen Erbsen,
hart und prall, die Merle spät erntete, damit das, was am
Morgen noch Erde war, bis zum Abend in die Erbsen eingegangen wäre und sie hätte anschwellen lassen, ganz ohne
dass unsere Mühe oder unsere Kosten größer geworden
wären, was uns merkwürdig und fast zu gut vorkam – wie
ein Wunder, wo niemand um eins gebeten hatte. Sie waren
ebenso ein Teil von uns wie der Anblick der weißknochi-
gen Platanen, die sich in den Himmel emporschwangen,
oder der Wolken, die wie Dampf an ihren Wipfeln entlang-
getrieben wurden. Im Gedanken und in der Merkwürdig-
keit unseres Selbst konnten wir Stunden verbringen, so als
irrten wir durch ein Labyrinth, und es war ein Rätsel, das
damals ausreichte, um den Geist lebendig zu halten, stets auf
der Suche, hungrig und nie gesättigt; und im Geheimnis
um die Rübe vergaß man das Rübenblatt.

Für Kerrin hingegen war all das nie befriedigend gewesen, schon in früheren Jahren nicht. Sie wurde schnell
unruhig und wild und ritt weite Strecken in den Abend
hinein, während wir zu Hause saßen und lasen. »Wo ist
Kerrin?«, fragte Vater immer wieder, las ein Kapitel und
spähte dann hinaus ins Mondlicht. »Warum sorgst du nicht
dafür, dass sie zu Hause bleibt, Willa?«, fragte er Mutter.

»Woher weißt du, was sie da draußen macht? Kein Mädchen sollte abends so unterwegs sein!« Er wurde müde, sobald es dunkelte, wollte früh schlafen, nicht selten schon um acht ins Bett gehen, bestand aber darauf, wach zu bleiben, bis Kerrin, manchmal erst gegen neun oder zehn, die Straße wieder herunterkam. Wir hörten dann, wie die Ackergäule wiehernd zum Zaun sprengten und die Hufe des Rotfuchses einen halben Kilometer entfernt über den Schotter prasselten, und auch er wieherte, schrill und erschöpft. »Jetzt ist sie hier«, sagte Mutter dann. »Jetzt kann ihr nicht viel passieren. Geh schlafen, Arnold.« Und wenn das Geprassel der Hufe und Steine näher kam, klappte Vater sein seit einer halben Stunde ungelesenes Buch zu und ging nach oben, denn er hatte gelernt, dass es zwecklos war, sie zur Rede zu stellen, wie damals, als sie zum ersten Mal so lange fortgeblieben und er zu ihr hinausgestürmt war und wütend Erklärungen verlangt hatte, die er nie bekam, bis er vor Zorn nicht hatte weiterreden können, weil sie weder antworten noch ins Haus kommen wollte. Damals hatte sie die Nacht im Stall verbracht, hatte oben in dem pieksigen Stroh geschlafen und es dort vielleicht bequemer gehabt als wir, die wir halb krank und schlaflos in unseren Betten lagen.

Ich erinnere mich an den Morgen nach dieser Nacht. Es war April und kalt, mit Nebelwänden, so hoch wie das Dach des Schafstalls. Wir sahen Kerrin herauskommen, Strohhalme im Haar. Sie gähnte und streckte sich in der Sonne, die durch die Dunstschleier drang, und kam, als Vater fort war, den Steinweg zur Küche herauf. Wir sahen uns an und zitterten, dachten aber, es läge am Nebel, der an unseren Kleidern haftete und sie klamm machte. Wir gingen hinunter in die Küche und versuchten sie vor dem Feuer trocken zu wedeln, und Kerrin saß am Tisch, ohne etwas zu sagen, immer noch mit dem Stroh im Haar. Ihre Beine waren nass und gänsehäutig von dem Gras, über das sie gelaufen war. Sie beobachtete uns, gespannt, was wir sagen würden, aber wir trockneten bloß weiter unsere Kleider, mehr an dem satten Speckgeruch und dem dicken Kloß Haferbrei auf dem Herd interessiert. Mutter brachte ihr etwas Speck und ein großes Stück Toast und Milch, noch mit einer marmorierten Sahnehaut obendrauf, und sagte, sie solle sich doch näher an den Herd setzen, um trocken zu werden; und wir konnten sehen, dass sie hoffte, Vater würde schön lange draußen bleiben. Kerrin aß wild und gierig wie ein Wolf, schmierte sich Marmelade auf den Toast und aß sie dann direkt aus dem Glas, hohe, zitternde Löffel voll. Merle und ich saßen da und aßen geduldig von unseren Haferflocken mit Milch. Mir kam ein Gedanke, noch vage und unfertig, nämlich dass Stunden der Sonne, Stunden des Pflückens und heiße Stunden auf dem Herd in diese paar Minuten geflossen waren, in denen Kerrin aß, und dass sie Teil von ihr werden, ihr Energie geben würden, um zu hassen und laut zu werden und in Tränen auszubrechen, und ich fragte mich, wie Mutters Glaube darauf antworten würde, schien es doch das Muster der Dinge mehr als bisher zu verzerren. Ich hatte keine Zeit, diesen Gedanken bis zum Ende zu verfolgen – was vielleicht gut so war, denn es gab keine Antwort, zumindest keine, die ich hätte finden können –, weil genau in dem Moment Vater hereinkam, im Türrahmen stehen blieb und uns ansah.

Er war ein großer, schwerer Mann, und sein Gesicht hing in langen, dünnen Falten herab. Sein einst dichtes rotes Haar wuchs jetzt spärlich, in düsteren Büscheln. Einmal hatte er es sich bis über den Kragen stehen lassen und wie ein Priester damit ausgesehen, auch freundlicher, aber meistens war er rasiert und wirkte wie ein Fremder auf Erden. Er hatte frostige Augen – eine Art Weißblau mit stechenden Pupillen. Manchmal, wenn er lächelte, liebte ich ihn; wahrscheinlich weil er es so selten tat. Merle und mich mochte er am meisten, zum Teil weil wir das Land mehr liebten, was ihn irgendwie zu rechtfertigen und zu trösten schien. Merle hatte er am liebsten und sagte häufig, sie hätte einen guten Jungen abgegeben. Aber er versuchte nicht, sie wie einen zu behandeln, denn er glaubte, dass nichts ein Mädchen groß verändern könne. Er betrachtete uns über den nebligen Graben hinweg, der seiner Meinung nach zwischen ihm und allen Frauen lag, und der Ort, wo sie sich bewegten und betätigten, schien ihm weit entfernt – ein Ort, von dem aus sie diesen Graben vielleicht einmal überqueren würden, um einen Mann zu heiraten, an den sie aber auch jederzeit wieder zurückkehren könnten. Nur Mutter sah er klar und deutlich. Jedenfalls von außen. Wenn sie im Geheimen an diesen Frauen-Ort zurückging, wusste er nichts davon, denn die Ehe war für sie etwas, dessen die wenigsten Männer würdig waren – eine Religion und ein langes Schenken.

Er schien Kerrin nicht gleich zu sehen oder sie vergessen zu haben, hätte sie vielleicht überhaupt nicht bemerkt, wenn sie sich ruhig verhalten und sich das Haar gekämmt hätte, anstatt es voller Stroh und Unkraut zu lassen. »Max kommt heute nicht«, sagte er. »Er ist krank.« Er stellte die Milch so ab, dass sie auf den Boden schwappte, und schaute zu Kerrin. Er setzte an, etwas zu sagen, wurde aber nur rot und verkrampft und drehte sich auf eine hilflose, entnervte Weise um. Mutter fragte ihn, wie viel sie gestern geschafft hätten, und er sagte, kein Drittel von dem, was noch auf sie warte. Max sei langsam, murmelte er, und arbeite daneben ja noch zu Hause – arbeite zu viel … Die Rathmans pflanzten auch Mais ... Könnten ihn silieren, wenn er sich nicht verkaufe ...

»Warum pflanzt du nicht was, was niemand anders hat?«, platzte Kerrin heraus. »Was uns mehr Geld einbringt als bloß Mais!«

»Du willst zu viel zu schnell«, sagte Vater. Er sprach kalt und leise und klang Lichtjahre von ihrer nörgeligen Stimme entfernt. Als redete er mit einem kleinen Hund, der nicht aufhören wollte zu kläffen und den er womöglich bald treten würde.

Ich sah, dass Mutter ihn beobachtete, fest angespannt, und dass sie sagte – pass auf ... pass auf ... schau sie nicht auf diese Art an! ... Nicht laut, nur mit den Augen. Innerlich betete sie, das wusste ich. Laut sagte sie, auf eine fast gleichgültig wirkende Art, dass er es später mal mit Sellerie versuchen solle, der sei schwer zu ziehen, das wisse sie, aber niemand hier in der Gegend habe welchen, zumal er so viel Wasser brauche, dass keiner die Zeit und Mittel dafür aufbringen könne.

»Und wer soll das Wasser schleppen?«, sagte Dad. Weniger fragend als höhnisch. Er hatte den alten Ausdruck von Überdruss im Gesicht, der sich immer dann zeigte, wenn wir mit ihm diskutierten, wenn er sich bedrängt und gezwungen fühlte, gegen Dinge zu kämpfen, die es nicht wert waren. Einen Ausdruck von Frauenüberdruss.

»Ich kann das machen«, sagte Kerrin. Sie wirkte freudig erregt, von plötzlich aufflammendem Eifer gepackt. »Nur zu«, sagte Vater. »Nur zu, mal sehen, was du schaffen kannst.« Er schob seinen Stuhl zurück und lachte in sich hinein. Ein unschönes, dürres Geräusch, gereizt und nach innen gerichtet wie an einen anderen, unsichtbaren Mann in ihm, der ihn verstand und Mitleid mit ihm hatte. Selten fluchte er laut, fand es falsch, das vor seinen Töchtern zu tun – doch all die Blasphemie war da, zerbarst in seinem Inneren und wurde sauer.

Merle und ich stahlen uns aus dem Haus. Der Nebel hatte sich überall gelichtet, und wir konnten ins Tal hinabschauen, wo die Pfirsiche zu blühen begannen, mit zartem Rosa getupft. Sie waren spärlich in jenem Jahr, ihre Blütenblätter dünn, während die Wildpflaumen förmlich schäumten. Hinter den Ställen wuchs eine ganze Reihe von ihnen, und dorthin gingen wir, vorbei an den frischen, warm dampfenden Misthaufen und den hoch gewachsenen Schweinen, die im Matsch wühlten. Die alte Sau Klytaimnestra starrte uns argwöhnisch an und grunzte leise, neun haarige Ferkel bei sich, die ihren großen, durch den Matsch schleifenden Zitzen folgten. Die Luft war süß und abgestanden und erfüllt vom Grasgeruch. Wir fühlten uns von einem schweren, drückenden Gewicht befreit, kletterten über den Zaun und liefen schnell und stolpernd über das Zieselfeld. Wir wollten den Wald erreichen und uns darin verbergen. In den spärlichen grünen Schatten abtauchen. Die Senken waren voll wilder zarter Stiefmütterchen, so blau, als läge dort Frost oder Nebel – hektarweise, schien es, den Boden so dicht bedeckend wie das Gras. Wir gingen am Teich vorbei, wo es schon Gelege mit schleimigen Eiern von Fröschen und Salamandern gab, durchscheinend und rund wie ein Haufen schwarz gefleckter zusammengeklebter Tapiokaperlen. Merle nahm eins in die Hand, aber es rutschte ihr weg wie ein dicker, glitschiger Fisch und schien sich beinahe zu winden. Wir warteten und schauten, konnten aber keinen Frosch entdecken, der sich aufblies, um zu singen, und auch sonst nichts Lebendiges außer den umherschwirrenden Käfern, die über das Wasser schossen und ihre Spuren darauf hinterließen wie die Kratzer von Schlittschuhen auf dem Eis. Die Weißeichen trieben gerade aus –

unmöglich, sie zu beschreiben. Wir standen bloß da wie zwei Stümpfe und sahen uns um und meinten, etwas in uns würde zerspringen, fühlten uns zu stark gedehnt und zu schwer, um noch mehr aufnehmen zu können. Dann kniete sich Merle hin und begann die Stiefmütterchen herauszuziehen, beinahe brutal und in dicken Büscheln. »Es sind so viele«, sagte sie. »Niemand würde sie vermissen, und wenn ich tausend pflücken würde!« Da pflückte ich auch welche, und der Schmerz schien aufzuhören, wenn man die Hände fest um sie legte, selbst in dem Wissen, dass sie sterben würden ... Wir fanden eine Fledermaus in den wilden Felsenbirnen, kopfüber wie der Körper eines gigantischen Falters, und ihr goldbraunes Fell strahlte ein metallenes Licht ab. Glühte orange. Wir spähten in die wilden Stachelbeerbüsche und sahen dort die Eintagsfliegen tanzen wie Pollendunst, und unter den Holzapfelbäumen bewegte sich totes Laub durch irgendein kleines Tier, das sich hier einen Tunnel gegraben hatte, ob Maus oder Maulwurf, das konnten wir nicht sehen. Dann, plötzlich flüsternd, sagte Merle: »Schau mal!«, und zeigte hinauf zu einer von Krankheit ausgehöhlten Schwarzeiche mit geschwollenen, dicken Knollen auf der Rinde – und ich sah den kalten, starren Blick verschlossener Eulengesichter, junger Eulen mit steinernen Augen. Ich dachte, ich würde vor Aufregung platzen, wollte aufschreien und hatte doch Angst, mich zu rühren. Schon seit wir hergezogen waren, suchten wir nach ihrem Nest, von dem wir wussten, dass es irgendwo in der Nähe sein musste, hatten wir doch die alten Eulen sogar bei Tageslicht und am frühen Abend einander rufen hören.

Ich dachte, ich hätte für den Rest meines Lebens genügend Glück in mir, um Dinge wie jenen Morgen in der Küche für immer zuzudecken, Dinge, die krumm und schief und missgestaltet waren und einem das Leben wie ein Nest beißender Ameisen erscheinen ließen. Und dann, wie schon manchmal, wenn die Wälder Antwort und Heilung versprachen und mehr als genug waren, um dafür zu leben, dämmerte mir, dass sie vielleicht nicht immer uns gehören würden – dass eine Dürre oder ein zu feuchtes Jahr oder sogar ein besonders gutes, in dem alle anderen zu viel zu verkaufen hatten, sie uns wegschnappen könnten und ein Strich auf einem Stück Papier vierzig Hektar und unser aller Leben auslöschen würde. Und diese elende Angst kam wieder hoch, heimtückisch wie eine Hand, die mich um den Atem bringen wollte.

»Was ist los?«, fragte Merle, und ich glaube, sie konnte meine Gedanken sehen, als wären sie mir deutlich auf das breite, glatte Gesicht geschrieben, denn sie stand da und kaute auf einem Zweig, und alles innere Licht war aus dem ihren gewichen. Über dem Schleier aus Judasbäumen und der Wildpflaume und jenseits der beweglichen Sonnenschatten schwebten die Bussarde auf riesigen Schwingen oder erhoben sich mit ihren wund und entzündet aussehenden Hälsen widerstrebend aus dem Gebüsch. Und durch unser beider Köpfe grub sich derselbe Gedanke.

Doch nur bei verrückten Menschen dauert die Angst Tag und Nacht an und vertieft diesen einen Graben, in dem sich alle Gedanken bewegen müssen. Und da wir damals gesund waren und so normal wie die glatte Fläche eines Tellers, hielten sich die Angst und das Vergessen der Angst die Waage, und wir grübelten nicht länger darüber nach, als es junge Kälber tun würden. Wir sahen, dass die Schatten klein waren, von der Mittagsstunde zwergenhaft gemacht, und hatten plötzlich Löcher im Magen von einem Hunger, den keine Angst uns vergessen machen und keine Haselwurz stillen konnte. Merle hoffte, es würde Muffins geben – große, oben knusprige; und Muffins waren wichtiger und unabdingbarer für uns als alle Hügel der Welt.

10

All das liegt nicht hinter uns, überwunden oder abgeschnitten. Es ist in uns, nur in gewandelter Form. Ich stelle mir gern vor, die Jahre würden alles verändern und umwerten, erkenne aber mehr und mehr, dass die Zeit sich immer nur ausdehnt, ohne Wandlung. Wir haben hier eine Chance – mehr als das, es wird uns auf*gedrängt* –, allein und still zu sein. Zurück- und vorauszuschauen und klar zu sehen. Die hinter uns liegenden Jahre, die wesentliche Einsamkeit und die Ähnlichkeit eines Jahres mit dem nächsten. Die furchtbare Aufeinanderfolge von Ursache und Wirkung. Wurzel führt zu Stamm und zu unvermeidlichem Wachstum, und der immer gleiche Saft fließt durch das Gewebe verschiedener Jahre, von den unausweichlichen Wunden des Wachstums gezeichnet wie die Äste.

In den ersten Jahren war es einfach gewesen, zu vergessen, hinauszugehen und zurückzukehren, die Dinge leichtzunehmen, auch wenn die Schatten, durch die wir liefen, schwer waren. Doch später war es nie mehr das Gleiche. Die Fähigkeit, ganz in der Gegenwart zu leben, sodass die vergangenen und kommenden Tage für eine Weile ausgeblendet bleiben, ließ in diesen zehn Jahren nach. Nur Merle schien sich eine fast naive Freude an den Momenten des Glücks bewahrt zu haben, ohne an deren Ende oder Anfang zu denken. Sie hatte sich in den Jahren nicht groß verändert. In ihr waren auch in diesem Frühling noch zwei Menschen zugleich: der robuste, manchmal schneidende Verstand, hell und gesund wie ihr Fleisch, und daneben diese halb rohe Empfindsamkeit, ein dunkler Aberglaube und eine kindliche Angst. Sie war so alt und so jung in einem und dadurch schwer zu verstehen und doch auch auf seltsame Weise schlicht. Sie war ehrlich wie das Licht selbst und hatte, was ich immer haben wollte – den Mut, nach ihren Überzeugungen zu leben. So oft gehen wir seitwärts durchs Leben, mit vorgehaltenem Schild, die Hälfte unseres Lebens eine Lüge. Wenn es darauf ankommt, halten wir die zweischneidige Wahrheit zurück und stecken sie in die Scheide. Ich wünschte, wir wären hartmäulig, sparsam mit Lob und würden unser Leben lang nur sagen, was wir für gesichert halten. Nur auf diese Weise können wir irgendwelche Werte oder Maßstäbe entwickeln. Merle kam dem nahe, nicht absichtsvoll, sondern weil sie ehrlich *geboren* war. Sie kämpfte nicht halbherzig mit gesichtslosen Schatten, maskierten Gestalten, die zu benennen sie sich scheute, sondern erkannte die Dinge als das, was sie waren, und schaffte es, sie zu entflechten. Sie schien mit ihrer Lebensweise zu bestreiten, was ich immer als wahr empfunden hatte – dass Liebe und Angst einander mit fast mathematischer Präzision verstärken: je größer die Liebe, desto größer auch die Angst. Merle hatte die Hypothek gehasst, aber nie gefürchtet, obwohl sie die Farm mindestens genauso sehr liebte wie ich. Wenn wir uns je von den Schulden befreien würden, dachte ich, dann durch ihre Dickköpfigkeit und ihren Hass. So jedenfalls schien es mir im Frühling. Nur zu gerne wollte man glauben, dass es irgendwo Stärke gab.

11

Dann, an einem kalten, trockenen Tag Mitte April, kam Grant zu uns. Es war ein Tag, der sich in nichts von den anderen unterschied – die Erde schon grün, die Holzapfelblüten feuerrot und der Weißdorn im Aufblühen; der Boden aber war rissig von der Dürre, und die Pflanzen beugten sich unter der Anstrengung, geboren zu werden. Ich beobachtete, wie er die Straße heraufkam, und Vater ging hinaus, um ihn zu begrüßen. In unserem Leben geschah so wenig Neues, dass selbst all das, was danach passierte, seine Ankunft in meinem Gedächtnis nicht ausgelöscht hat. Es gab damals nicht viel, woran man hätte denken können.

Grant war älter, als ich gedacht hatte, und schien auf den ersten Blick ein schroffer, eigenartiger Mann zu sein. Er war lang und dünn, und wir ertappten uns dabei, wie wir ihm wie die Kinder von unten ins Gesicht starrten. Wenn er sprach, hatte seine Stimme einen freundlichen, fast alten Klang, und er lächelte schnell und plötzlich. Er war befangen, das merkten wir, aber mir fiel auf, wie ruhig er dastand, nicht steif und linkisch wie die meisten Männer, wenn sie verlegen sind. »Er hatte Angst und wollte weg«, sagte Merle hinterher. »Ich hab gesehen, wie er unter all seiner Bräune rot geworden ist.« Mir aber war er sehr gleichmütig und geduldig erschienen.

»Ich bin froh, dass Sie gekommen sind, Mr. Koven«, sagte Mutter. Sie sprach förmlich, als wäre er ein Pfarrer oder Sheriff, doch sie lächelte, und man merkte, dass sie es ernst meinte.

»Es ist gut, mal jemand Neues hier zu haben«, platzte Merle heraus.« – »*Irgendwas* Neues.«

Da lachte Grant, ein lautes, herzhaftes Geräusch, und sah gleich viel jünger aus. »Da machst du es mir ja leicht«, sagte er. »Ich bin froh, dass irgendwas genügen wird.«

Vater wusste nicht, was er sagen sollte, und tat so, als hätte er ihn nicht gehört, und ich bewegte stocksteif den Kopf, als er meinen Namen sagte. Kerrin war nicht da. Sie wollte ihm auf andere Weise begegnen als wir und zog es vor, Zeit und Ort dafür selbst zu wählen.

»Diesmal wird's ein gutes Jahr«, sagte Vater schließlich. Das sagte er immer, wenn Worte gefordert schienen, aber keine kamen. »Ist Zeit für einen Herbst mit großer Ernte, da wird mehr zu tun sein, als wir alle zusammen schaffen können.«

»Es ist Zeit, weiß Gott«, sagte Grant. »Wir sind es leid, Hülsen anstelle von Mais zu verfüttern.«

»Man kriegt's über, die Garbenhaufen umzugraben, um irgendwo Kolben zu finden«, sagte Merle. »Und dann taugen sie höchstens dazu, ein Spielhaus zu bauen. Schwarzer Maisbrand und Maisbeulen. Wir haben uns gar nicht getraut hinzuschauen, was wir den Rindern vorgesetzt haben. Haben einfach so getan, als wär's Mais.«

Grant grinste. »Immerhin hat es die *Form* von Mais‹, hat Dad immer zu seinen Kälbern gesagt, und nach einer Weile hat es ihnen dann besser geschmeckt.«

»Die Mägen müssen laut genug geknurrt haben, um ihnen die Augen zu verschließen«, sagte Merle. »Und wenn man sieben hat –«

»Sie kommen jetzt mal mit zum Stall«, schaltete Vater sich ein. »Es ist spät, und wir haben noch Arbeit vor uns.« Bei Vater war es immer spät, selbst um vier Uhr morgens; ich glaube, sein Schlaf war ein Wettrennen zwischen

Dunkelheit und Licht, und seine Stiefel standen immer eine Handbreit entfernt auf dem Stuhl neben seinem Bett.

»Es gibt bald Abendessen«, erinnerte ihn Mutter. Sie hatte Grants wegen eine gute Mahlzeit geplant und wusste, dass Vater sich manchmal verspätete oder zu kommen vergaß, bis sie losging und ihn holte. Er bekam Hunger und wurde gereizt davon, bloß fiel ihm der Grund dafür nicht ein.

»Sie sind nur einmal neu hier«, sagte Merle zu Grant. »Pfirsiche werden nicht noch mal für Sie aufgemacht. Da essen Sie besser gleich, so viel Sie können!«

»Wer kauft Pfirsiche?«, wollte Vater wissen. Er lief rot an vor Argwohn, doch Mutter lachte nur.

»Es ist eine Dose von letztem Jahr«, sagte sie. »Pfirsiche, die du selbst gepflückt hast.«

Dad wurde verlegen und ging los, und ich fragte mich, was Grant wohl dachte und ob er sich bald an diese stündliche Zankerei gewöhnen würde oder ob er so etwas selbst schon erlebt hatte.

»Es sind keine Pfirsiche nötig, damit ich mittags wieder herkomme«, sagte Grant. »Wenn der Magen hohl genug ist, schmeckt auch Schweinemastgras gut.« Er lächelte Mutter an und schnell noch uns und folgte dann Vater.

»Der wird viel essen«, sagte Merle. »So lang, wie er ist. Wir hätten nie einwilligen solln, ihn hier zu bewirten.«

»Es wird ein gutes Jahr«, sagte Mutter. »Genug zu essen werden wir jedenfalls haben. Genug zu essen, wenn auch nichts anzuziehen. Irgendwie bekommen wir ihn schon satt.« Aber sie wirkte doch besorgt, und ich sah, wie sie in die Kammer ging und die Dosen zählte, als würden es mehr, wenn sie es nur immer wieder tat.

»Genug zu essen jedenfalls« ... Essen genug ... die Wörter nagten an mir, trugen irgendeine Erinnerung in sich, obwohl ich sie so oft gehört hatte, dass sie an und für sich bedeutungslos geworden waren. »Ihr Bauern habt zu essen … immerhin zu essen …« Und dann fiel mir der Mann wieder ein, der vor Jahren zu uns gekommen war, und der alte Schrecken kehrte zurück – die Angst, auch aus dieser letzten Zuflucht vertrieben zu werden.

Er kam im Herbst des Jahres, in dem wir umgezogen waren, und die Hypothek war schon damals wie ein Felsbrocken, den wir im Geist immer mit uns herumschleppten. Das Säen und Ernten hatte etwas Bitteres an sich, ganz gleich, wie gut die Ernte sein mochte (und in jenem ersten Jahr war sie schwer wie die Eichelmast und üppig wie Unkraut), wenn sie uns doch nichts anderes bescherte als das Privileg, bald wieder von vorn anzufangen und nichts dafür zu bekommen als ein kleines Zeichen auf dem Papier. Und da war dieses Bedürfnis, diese furchtbare Sehnsucht nach einer gewissen Beständigkeit und Sicherheit; nach dem Gefühl, dass das Land, das man pflügte und bestellte und durchstreifte, einem selbst gehörte und nicht mit einem Federkratzen unter den Füßen weggezogen werden konnte. Daran dachte ich manchmal, wenn die Obstbäume zu blühen begannen und ihr Grau zu einem weißen Pelz entlang den Pflaumenästen wurde und in den Pfirsichen ein rosa Licht aufschimmerte. Und ich dachte daran, wenn die Aprikosen sich röteten und man vom Rand der Schweinepferche aus in ein Tal voll weißem Rauch schauen konnte oder eher in eine Bucht voll weißer Gischt, dort, wo die riesigen Birnbäume waren. Ich kratzte dann mit dem Nagel an einem Pfahl und dachte – wenn jemand das auf einem Stück Papier macht, dann sind all diese Dinge weg, und ein kleines Gekritzel ist größer als Wald und Tal. Doch die

Angst wurde schlimmer und belastender, nachdem der Mann da gewesen war.

Es war Oktober, und ich erinnere mich noch, wie wir an jenem Morgen saure Milch zu den Hühnern trugen und am Zaun stehen blieben, weil wir ihn die Straße heraufkommen sahen. Er ging langsam an dem abgeernteten Pflaumendickicht und den Weißeichen vorbei, die damals kahl waren, und ließ die ganze Zeit den Blick schweifen, aber nicht so, als sähe er viel. Wir standen da und beobachteten ihn, dumm wie zwei Frischlinge, nehme ich an, halb bereit wegzurennen, aber neugierig genug, um dazubleiben. Als er näher kam und durchs Tor ging, sahen wir, dass er zwei fadenscheinige Säcke dabeihatte, einer ausgebeult von etwas, was ihm bei jedem Schritt gegen den Rücken schlug. Seine Haut war gelb und leberfleckig, und er sah aus, als käme er gerade aus der Dunkelheit eines Kellers.

»Wo ist euer Dad, Mädchen?«, fragte er uns. Er hatte eine müde, unangenehme Stimme.

Ich zeigte zum Stall hinter uns, und Merle starrte ihn an. Sein Mantel war eng und um die Knie zu kurz, mit einem schwarzen Samtstück am Kragen, wie es Dad vor langer Zeit einmal getragen hatte. Seine Nase war rot und lief ununterbrochen, und er wischte sie sich am Ärmel ab. Vater kam heraus und fragte, was er wolle. Sprach mit ihm, als wäre er schon als Dieb ertappt und verhaftet worden.

»Könnt'n Sie Hilfe brauchen?«, wollte der Mann wissen. »Irgendwas noch nicht fertig gepflückt oder umgegraben? Kann ich irgendwas in Kisten packen und behalten, was übrig ist?« Er holte ein paar Süßkartoffeln hervor und zeigte sie ihm. Sie waren trocken und unförmig, mit schlechten Stellen, aber auch Stücken, die man essen konnte. »Sind von der letzten Farm«, sagte er. »Machen nicht viel her, was? Füllen aber 'n Teil vom Magen −«

»Was soll das?«, fragte Vater. »Was strolchen Sie hier rum?«

»Ihr Bauern kriegt immerhin was zwischen die Kiemen«, sagte der Mann. »Ich hab 'ne Familie. Wir müssen auch essen.«

Ich hatte Angst vor ihm, und er tat mir leid. Er sah räudig und wurmstichig aus und nicht so, als sei er ans Laufen gewöhnt. Ich wollte ihm sagen, dass er nicht so herausfordernd mit Dad reden solle, dass seine Art zu fragen ganz falsch war. Ich konnte sehen, wie Vater sich verhärtete, wie er kalt und steinern wurde. Was Vater hart gegen ihn werden ließ, war die Tatsache, dass der Mann so klang, als gäbe er etwas anderem die Schuld – dem Leben, den Menschen oder vielleicht Gott. Es war Blasphemie, fand er, die Schuld am eigenen Hunger woanders als bei sich selbst zu suchen. Ich wollte ihn warnen, konnte es aber nicht. Stand nur da und schaute, mit verschütteter Milch auf den Schuhen.

»Ich brauch keine Hilfe«, sagte Vater. »Ein Bauer hat genauso zu knapsen wie jeder andere. Wir ackern hier nicht aus Spaß am Verschenken.« Er blickte den Mann – oder was mal ein Mann gewesen sein mochte, jetzt aber nur mehr eine Scherbe von etwas Zerbrochenem war – feindselig an. Blickte ihn an und sagte: »Los – verschwinden Sie!« Ich glaube, er wollte ihn da nicht stehen sehen, so lumpig, mit seiner vergilbten Haut und verschleimten Nase, aus der Seele heraus krank und eine Erinnerung daran, was ihm selbst hätte passieren können, wenn es kein Land gegeben hätte, das uns rettete, ja was ihm immer noch passieren könnte. Der Mann fluchte, drehte sich um und schlich davon, weder Mensch noch Tier – eher wie eine kranke, schmutzige Fliege.

»Ein Lügner und Nichtstuer«, sagte Vater. Er wandte sich ab und ging wieder in den Stall.

»Wir hätten ihm etwas geben sollen«, sagte Merle, und

ich dachte an all die gebunkerten Kartoffeln und die Haufen von verschrumpelnden Karotten. Ich hatte Angst vor ihm, konnte aber den Klumpen Mitleid, der mir die Kehle verstopfte, nicht ertragen. Ich konnte es nicht ertragen, ihn so weggehen zu sehen mit dem schlaffen Sack, in dem die zwei halb verschimmelten Kartoffeln steckten. »Wir können übers Feld laufen und ihn an der Straße einholen«, sagte ich. »Wir können was unter meinem Pullover verstecken.« Merle fürchtete sich. Sie hatte Angst, dass er uns bestehlen oder umbringen würde, glaube ich. Und ich auch. Wir schlichen in den Keller und nahmen uns ein paar von den Kartoffeln. Merle nahm auch Karotten und einen Apfel. Wir kletterten über den Zaun und liefen übers Feld. Es war matschig und schwerer, als durch tiefen Schnee zu stapfen. Merle fiel zweimal hin und machte sich das ganze Gesicht schmutzig. Sie weinte und war zu sehr außer Atem, um zu rufen. Da sahen wir den Mann, wie er um die Biegung kam, vor sich hin redend und fluchend, seine schwindsüchtige Gestalt eng in den vom Wind verzerrten Mantel gehüllt. »Mister!«, rief ich. Doch er konnte mich nicht hören; zu schwach war meine Stimme, wie der Ruf eines Menschen im Traum. Ich stand da, verlegen und keuchend, die Kartoffeln mit beiden Armen an den Bauch gedrückt, und hätte vor Angst und Scham kein zweites Mal rufen können. Dann bog er um die Ecke und war nicht mehr zu sehen.

Ich hatte sein gemeines, abgehärmtes Gesicht nie vergessen und auch das Mitleid nicht, das ich mit dem Mann empfand; und die Angst vor dem, was er für uns verkörpert hatte, kehrte manchmal mit einer solchen Schärfe zurück, als hätten wir ihn erst gestern im Wind davongehen sehen. »Herrgott!«, sagte ich wie im Gebet, ohne zu merken, dass ich es laut aussprach.

Merle wandte das rote Gesicht von den kochenden Karotten ab. »Was ist los?«, fragte sie, schien es aber auch so schon zu wissen. Sie schüttelte den Topf heftig über der Flamme und knallte den Deckel darauf. »Die Kartoffeln waren schlecht in dem Jahr. Wir hatten selbst nicht viele!« Sie sagte es trotzig, aber es war keine Entschuldigung, an die sie glaubte; sie wusste, dass es nur ein abgenutztes altes Argument war, das man um des eigenen Friedens willen anführte. Kleine Erlebnisse saßen tief und schmerzten sie, aber sie konnte auch leicht vergessen, und so verdarben sie ihr nicht die Momente des Glücks. Ich hätte mir gewünscht, auch so schnell von einer Wetterlage zur nächsten wechseln zu können, damit die alten Ängste sich nicht ausbreiteten und sogar auf die Dinge abfärbten, die ich liebte.

Merle öffnete ein Glas Mais und nahm widerwillig, aber aufgeregt den Deckel ab. Sie hatte den Mann schon vergessen und schnupperte mit einem breiten Grinsen im Gesicht den süßen Maisduft. Die Körner waren noch golden und schwammen in ihrem milchigen Saft. »Fünfzehneinhalb Kolben«, verkündete sie. »Alle für ein kleines Glas. Wenn ich die Würmer mit reingetan hätte, wär's schneller gefüllt gewesen. Groß und milchweiß waren die und fett!« Sie probierte einen Löffel und schüttete den Rest in die Pfanne. »Da soll er mal schön dankbar sein. So bald machen wir kein weiteres Glas auf.«

»Es gibt keins mehr aufzumachen«, sagte ich. »Das ist das letzte.«

»Wir haben ja nicht jeden Tag einen neuen Mann hier«, sagte Mutter schnell. »Und einmal musste es sein.« Sie wirkte froh darüber, einen Gast zu haben, und jung. Es war seltsam, wie wenig sie sich in jenen Jahren verändert hatte, trotz all des Haushaltens und der Arbeit und der Enttäuschungen. Ich glaube, es lag daran, dass sie das Leben langsam anging und auf etwas vertraute, was man weder fühlen noch sehen konnte, sondern wusste.

»Nicht jeden Tag einen neuen Mann, Gott sei Dank!«, murmelte Merle. »Dieser Topf wird ihn kaum bis zur Ferse satt machen, vom Rest ganz zu schweigen. So riesige Männer sollten lernen, irgendwas Billigeres zu essen, irgendwas, das man tonnen- oder säckeweise kaufen kann, wie Lehm oder Heu. Gott hätte geiziger mit seinen Knochen sein sollen, aber jetzt ist es zu spät.«

12

Ich denke gern an jenen Mittag zurück. Kerrin kam nicht heim, und wir fühlten uns freier und ungezwungener ohne sie, wie immer. Selbst Vater wirkte weniger gereizt und von Sorge zermürbt, aß zwei von den eingemachten Pfirsichen und vergaß zu fragen, wie viele noch übrig waren. Ich sah, wie er sich eine ganze Hälfte aufs Brot legte und der süß-säuerliche Geschmack ihn zum Grinsen brachte. Es war nicht so, dass Grant leicht zugänglich oder groß zu Späßen aufgelegt gewesen wäre oder so schnell und laut wie Merle. Aber ihn beeindruckte vieles neu und anders, und er verstand sich darauf, lebendig zu erzählen. Er unterhielt sich mit Vater über all die alten Auseinandersetzungen und Theorien, die wir schon zu gut kannten, um noch darüber zu diskutieren oder auch nur zuzuhören, und gab Vater, dem er mitunter zustimmte, das Gefühl, dass er jetzt einen Mann an seiner Seite hatte, der ihn unterstützte. Grant hatte eine Art trockenen Humor, der gelegentlich bitter, aber nie bösartig oder engherzig war. Später lernte er, Merle auf eine ihr entsprechende Art zu antworten, doch damals kannte er uns noch nicht gut und lachte nur über das, was sie so sagte.

Ich saß da und schaute zu, während sie sich unterhielten, und Merle häufte ihm trotz all ihres missgünstigen Geredes zweimal Mais auf den Teller. Die Sonne schien warm herein, warf lange Strahlen auf den Boden, und die riesigen Geranienpflanzen zeichneten ein Muster auf ihr Gold. Wenn wir unsere Gläser bewegten, huschten weiße Licht-kreise über die Wände und die Zimmerdecke, und die

Kristallschale mit den Pfirsichen malte einen Regenbogenstreifen auf die Tischdecke. Das Essen war gut, besser als je zuvor, und Mutter hatte sogar einen Rosinenzopf gemacht. Ich vergaß zusammenzurechnen, was die gekauften Zutaten gekostet haben mussten, und freute mich über die Zucker- und Zimtkruste. Grant atmete den würzigen Duft tief ein und schüttelte dann den Kopf. »Für die meisten Sachen gibt es Wörter«, sagte er, »aber hierfür kenne ich keins. Näher kann man dem Himmel diesseits des Jordans wohl nicht kommen.«

»Näher werden wir ihm wahrscheinlich auch auf der anderen Seite nicht kommen«, sagte Merle. Sie brach ihm ein noch heißes gelbes Stück ab.

Grant tat einen ordentlichen Bissen und aß das ganze Stück in drei Happen. »Er ist gut«, sagte er zu Mutter, »aber kein Lob, das einem aus dem Mund kommt, kann so viel bedeuten wie das Essen, das dort reingeht. Essen ist ehrlicher als alle Worte!«

»Dann muss Max laut gebrüllt haben«, sagte Merle säuerlich. »Er fraß wie ein Scheunendrescher und sagte kein Wort, wenn ein Grunzen genügte.«

»Frauen mögen Wörter zu sehr«, sagte Vater. Er lehnte sich mit dem Anflug eines Grinsens auf seinem Stuhl zurück. »Sie lassen sich gerne sagen, was ein Mann selbst in die Hand nehmen würde. Eine Frau könnte allein von Wörtern dick werden.«

»So ungefähr im August wirst du dir wünschen, das wäre wahr«, sagte Merle zu ihm. »Dann wird's mehr Wörter und weniger Essen geben.« Sie riss den Kopf herum zu den Feldern, die wir jenseits des Stalls sehen konnten, und schon jetzt wirbelte kalter Staub aus den Ackerfurchen auf.

»Der Mai sollte uns eine Flut bringen«, sagte Vater. »Hör auf zu nörgeln und gib dem Regen eine Chance. Drei Jahre

Dürre kommen nie zusammen, und ich hab ja jetzt einen guten Helfer.«

»Trink Wasser auf sein Wohl«, sagte Merle. »Das ist derzeit das Größte, womit du jemanden ehren kannst.«

Mit einem plötzlichen seltenen Lächeln nahm Vater tatsächlich sein Glas, hob es und trank. Dann schob er seinen Stuhl zurück, während wir anderen überrascht dasaßen, ungläubig, dass wir ihn hatten lächeln sehen. »Ein gutes Essen, Willa«, sagte er und wandte sich dann rasch Grant zu. »Wir sind spät dran. Müssen los. Haben schon zu viel Zeit vergeudet.«

Da stand Grant ebenfalls auf und streckte sich mit einem Ruck zu voller Größe. Seine Schultern waren breit und ein wenig gebeugt wie Geierflügel, seine langen Arme dünn. »Für mich war's keine Vergeudung«, sagte er zu Vater. »Ich könnte jetzt einen Berg beackern.«

»*Berge* sind's allerdings«, murmelte Vater. »Felsbrocken und steiniger Schlamm ...«

Doch er wirkte nicht verdrossen, sondern beinahe eifrig.

13

Irgendwann fragte ich mich, wie wir in den Tagen, bevor Grant zu uns gestoßen war, alles allein geschafft hatten. Er wohnte bei uns und aß auch alle seine Mahlzeiten hier, nur sonntags ging er manchmal aufs Land seines Vaters zurück. Vater war damals stolz auf ihn und benahm sich, als gereichte Grants Stärke ihm selbst zur Ehre; schien zu glauben, dass ihm Anerkennung dafür gebührte. Grants Kraft kam von seiner Länge, seinen beweglichen Armen, und manchmal fragte ich mich mit Merle, wie es ihm gelang, seine schlackernden Gelenke und Knochen fest und koordiniert genug zu bewegen, um das, was er tat, zu bewerkstelligen. »Er sieht aus wie ein dürrer langästiger alter Baum«, sagte sie einmal zu mir. Dad war in der Nähe und drehte sich auf dem Absatz zu ihr um. »Das steht dir nicht zu«, brüllte er. »Grant sieht rechtschaffen gut aus – besser als die meisten!« Merle sagte, vielleicht habe er recht, und solange Grant seine Arbeit tue, könne er aussehen wie ein Pfosten oder sonst irgendwas, es sei ihr egal. Sein Gesicht sei so ansehnlich, wie es bei einem Mann eben möglich sei, weil sie ja nicht die Mittel hätten, hübscher zu *wirken*, so wie Frauen. Vater starrte sie an, schien aber nicht so schnell zu begreifen, was sie meinte. Er dachte, weil sie lächelte, müsse es wohl in Ordnung sein und schmeichelhaft genug, und vertraute darauf, dass sie nicht spottete.

»Männer sind sich alle gleich«, sagte Merle. »Er wird auch nicht anders sein, das werden wir merken. Sie gleichen sich wie die Tümpel. Scheinen aber zu glauben, dass schon ihre Geburt sie zu Göttern macht.«

So redete sie, nicht boshaft, sondern überzeugt, bis zu einem Tag in jener ersten Woche, als er mittags heimkam und sie beim Waschen antraf. Er ging müde und langsam, wie Dad, nur sein Gesicht war lebendiger. Er lächelte nie viel, aber wenn, dann stark und warmherzig, und sein ganzes Gesicht hellte sich dabei auf (»geht an«, sagte Merle). Er hatte gepflügt und sah halb verhungert aus, und sein Hemd war schweißgetränkt. Merle war auch müde, ihre schallende Stimme weniger laut, bis ihr Singen nur noch ein Krächzen war, und sie bewegte nur kurz den Kopf zum Gruß. Grant setzte sich mit seinem vollen Gewicht auf die Stufen, so wie Vater es machte – als wäre er für immer dort eingesunken. Merle wrang die Handtücher aus, zog dann die Hemden heraus und hängte sie über den Rand, damit er sah, dass es seine waren.

Grant schnellte hoch, ging zu ihr und sagte, sie solle ihn den Rest machen lassen. »Ich hab gerade Zeit dafür«, sagte er. »Lass mich die alten Lumpen rausnehmen.« Merle wurde rot wie Rost und wollte schon grob werden – »Was soll das?«, fing sie an. »Haben Sie's so eilig mit dem Essen?«, konnte es aber gerade noch vernuscheln. Grant griff sich drei Hemden auf einmal und wrang sie zusammen aus. Quetschte die Knöpfe kaputt. Dann warf er sie über die Leine und trat einen Schritt zurück, grinsend, rot und verlegen. Sie waren schon trockener als das Hemd, das er am Leib trug. Merle setzte sich auf die Stufen, sackte erschöpft gegen den Pfosten und sagte, er solle die Overalls herausholen. Ich denke, sie hielt ihn für ein bisschen verrückt, hoffte aber, er würde fertig werden, bevor der Zauber verging. Grant wrang den Rest aus und leerte die Bottiche, und sie starrte ihn an, als wäre er ein merkwürdiger Dinosaurier oder Ghul. Ich konnte regelrecht sehen, wie sie ihre Meinung änderte, wie ein harter Kern in ihr weicher wurde.

»Sie sind besser als die meisten«, sagte sie. »Ein Mann zu sein ist für Sie vielleicht nicht die einzige Entschuldigung, die Sie zum Leben brauchen.«

»Eine schlechte ist es nicht«, sagte Grant. Er sah sie an und lachte und fragte dann, ob sie nicht reingehen und anfangen wolle zu kochen.

»Sie haben umsonst gearbeitet«, sagte Merle, »wenn Sie deshalb helfen wollten. Marget hat schon alles fertig.« Sie sagte es schnippisch, war aber weder ärgerlich, noch meinte sie es so. Und ich sah, wie Grant sie beobachtete, als sie wegging – mit einem irgendwie erfreuten Ausdruck auf dem müden Gesicht.

14

An jenem Nachmittag ging ich mit ihm zur Weide zurück. Das hätte ich nie getan, wenn er nicht den Krug dort gelassen und mehr Wasser gebraucht hätte, trank er doch an einem einzigen Morgen fast vier Liter. »Komm du mal mit«, sagte er. »Merle kann den Abwasch machen. Sie hat ihre Pause gehabt.« Und ging dann schnell hinaus, bevor sie ihn mit Wasser bespritzen konnte. (Was sie jetzt allerdings nicht mehr tun würde, wo der Teich so ausgetrocknet ist – schon damals war er nur noch zwei Fuß breit.) Wir gingen den Weg am Bach entlang, und er redete mit mir, als hätte er tatsächlich gewollt, dass ich mitkam und nicht nur irgendwer, der ihm Wasser brachte. Er sprach nie von sich selbst, außer wenn ich ihn etwas fragte. Jetzt erinnerte er sich, wie er damals wegen des Pferds gekommen und Merle draußen auf dem Hof begegnet war. Sie sei rot und stämmig gewesen und ihr Haar hinten ganz strubbelig. Als sie das Pferd gesehen habe, sei sie direkt an ihm vorbeimarschiert – »als wäre ich Luft oder nichts, um ihm Wasser aus dem Becken zu pumpen. Dann sah sie mich an, finster wie ein junger Bulle. Meinte wohl, ich würde es ihm vielleicht stehlen!« Grant lachte, als wäre das etwas, woran er oft gedacht und sich im Stillen gefreut hatte. Ich fand es schön, dass sie ihm auf diese Art wieder in den Sinn kam.

Die Wildkirschen standen in Blüte. Es war noch heiß, und Tintenkleckswolken verschmierten den Himmel, brachten aber keinen Regen. Das Frühlingsgrün war wie grünes Sonnenlicht oder grünes Feuer – etwas Schöneres jedenfalls als nur Blätter –, und entlang der Weide gab es gelbe Sassafraswolken. Wir entdeckten eine Schlange im hohlen Ast eines Ahorns, betrachteten sie aus der Nähe und sahen, dass ihre Augen wie milchblaue Steine waren, hart und rund und ohne Pupillen. Ich dachte, sie müsse blind sein, aber Grant sagte, Blindheit bedeute für wilde Tiere den Tod, und es sei nur so, dass die alte Haut über den Augen dicker werde, bevor die Schlange sich häute. Ich schämte mich, dass ich Jahr für Jahr so etwas gesehen und mir nie die Mühe gemacht hatte, den Grund dafür herauszufinden oder mehr darüber zu erfahren. Wohl weil es mir immer so erschienen war, als hätte ich genug Zeit vor mir, aber keine Zeit in dem Moment. Grant ließ selten etwas vorbeiziehen, ohne dass er zu ergründen versuchte, was es bedeutete. »Ich habe den albernen, hoffnungslosen Glauben«, sagte er, »dass wir umso mehr verstehen können, je mehr wir wissen.«

»Sie vielleicht«, sagte ich, »mich verwirrt es nur noch mehr.«

»Besser verwirrt zu sein als blind«, sagte er. Wir beobachteten, wie die Schlange zurückglitt, und hörten das trockene, kratzige Geräusch ihrer Windungen. Grant sagte, die Schuppen würden sich zuerst von den Augen lösen. »Zuerst neue Augen, dann überall eine neue Haut – wenn das kein Spruch ist, Marget! Gott, ich hätte Pfarrer werden sollen wie Dad!« Er legte eine Hand auf den Zaunpfahl und schwang sich über die Drähte, so leicht, als hätte er einen Stein geschleudert. Damit erschreckte er das Gespann, und die Pferde brachen los, rissen den Pflug aus den Furchen und stießen aneinander. Grant rief nicht nach ihnen und brüllte nicht. Er drehte sich schnell um und grinste mich an, bevor er schwerfällig lostrabte. Die Pferde verhedderten sich in den Riemen und kamen nicht weit, sprangen aber wild herum, als er ihre Beine zu befreien versuchte. Er kam nicht zurück, als das Chaos vorbei war, sondern winkte nur, rief etwas von langbeinigen Trotteln, womit er wohl sie alle drei meinte, und pflügte weiter, lauter und schlechter singend als Kerrin.

Auf dem Rückweg stellte ich mir vor, wie Dad sich aufgeführt hätte, wenn ihm das Gleiche passiert wäre. Heißblütig brüllend, hätte er nicht verhindern können, dass er sich lächerlich machte, denn er hatte eine Heidenangst vor allem, was seine Würde zum Kippen bringen könnte, die nicht im Gleichgewicht war und leicht umzustoßen. Grants Furchen waren gerader, als es die von Dad oder Max je gewesen waren. Er pflügte auch tiefer, und das ließ mich glauben, dass wir es vielleicht doch noch schaffen würden, vor dem Winter Saatgut in die Erde zu bringen.

15

Jener Monat war unwirklich und schön. Kein Regen kam, aber das schien nicht weiter schlimm. Es kümmerte mich nicht mehr. Ich vergaß die Hypothek und die Zahlung, die nächsten Monat fällig war, vergaß, dass es etwas zu befürchten gab, und lebte in einer Art Nebel namenlosen Glücks, undefinierbar und ohne ersichtlichen Ursprung, wie ein Frühlingsduft im März, bevor auch nur ein Fitzelchen Blatt oder Blume zu sehen ist. Ich war glücklich ohne Entschuldigung oder Grund. Die Birnbäume schienen mir schöner als in allen anderen Jahren, mit einer starken Moschussüße, die der Wind herantrug. Doch selbst der Frühling war nur ein kleineres Wunder. Ich denke jetzt – fast ungläubig – an diese ersten paar Wochen, erinnere mich an die blinde Freude, die selbst die Sorge um Kerrin nicht trüben konnte. Auch Vater war eine Zeit lang heiterer als sonst, weil er jetzt jemand anders zum Reden hatte als uns, jemand, der so empfand wie er; dabei merkten wir von Anfang an, dass sie in ihrem Denken hektarweit auseinanderlagen und Grant ihm auf hunderterlei Weise voraus war. Grant mochte unseren Vater, mochte ihn so sehr, dass er ihn nie oder höchst selten vor uns bloßstellte, obwohl er es hätte tun können, wann immer wir uns miteinander unterhielten. Und nur wenn sie allein waren, entkräftete er Vaters Argumente, manchmal mit einem einzigen Satz oder Wort, indem er Tatsachen ins Feld führte, die Vater entweder übersehen hatte oder, öfter noch, gar nicht kannte. Ich hörte hier und da zufällig mit und staunte, nicht so sehr über alles, was Grant wusste und wie er die Dinge in ihrer

Gesamtheit sah, sondern über seine Fähigkeit, Dads Gedankenpyramiden ins Wanken zu bringen, ja sogar zum Einsturz, ohne ihn zu verärgern. Und Dad hielt Grant vielleicht für leicht radikal oder freidenkerisch, aber doch für einen Mann mit vernünftigen Gründen für alles, was er vorzubringen hatte.

Grant war ein sanftmütiger Mann und weniger hart als seine Überzeugungen – Überzeugungen, die aus bitteren und salzigen Erfahrungen entstanden waren –, aber es gab eine steinerne Schicht in ihm. Manche Menschen sind weich wie Morast: Man berührt sie, greift tiefer hinein, tastet und drückt in einem Schlamm der Ungewissheit herum und findet nirgends auch nur ein kleines Kieselstück. In Grant dagegen gab es etwas Festes, nicht Arroganz, sondern ein Grundgestein des Glaubens. Und es war auch nicht Gottes Güte, an die er so fest glaubte, sondern etwas, was ihm besser diente. So stark auf irgendeine Sache zu vertrauen – und sei es das eigene Augenlicht – mag selbst eine Form von Blindheit sein; doch in der Blindheit liegt eine Antriebskraft. Es ist wohl die einzige Möglichkeit, überhaupt etwas zu erreichen: dem Geist große Scheuklappen anzulegen und nur die Straße vor sich zu sehen.

Dass er diese harte, fast zynische Haltung den Dingen gegenüber hatte und zugleich ein so gutes Herz, ließ mich eine an Schmerz grenzende Freude empfinden. Ich weiß noch, wie es mich jedes Mal mit Dankbarkeit erfüllte, wenn Dad etwas durcheinanderbrachte und uns am Tisch zu beweisen versuchte, dass er recht hatte, und Grant es ihm durchgehen ließ, obwohl er es besser wusste, ihn aber nicht lächerlich machen und Kerrins Spott aussetzen wollte.

Grant mochte Kerrin damals. Das war nicht schwer zu

verstehen, und vielleicht hätte ich es auch getan, wenn ich er gewesen wäre. Hätte vielleicht sogar die Dinge geliebt, die ich an ihr hasste – ihre krasse Unberechenbarkeit und Wechselhaftigkeit, ja selbst ihren Egoismus. Sie kam inzwischen überhaupt nicht mehr zum Abendessen heim; das fand ich zunächst merkwürdig, weil Grant ja jeden Abend hier aß, aber nach einer Weile begann ich es zu verstehen – soweit man Kerrin überhaupt verstehen kann. Es hatte etwas mit dem Unterschied zwischen ihr und uns zu tun und war zum Teil dem Wunsch geschuldet, ihn nicht genauso zu nehmen und zu behandeln, wie wir es taten – als einen von uns. Auf eine verdrehte Art merkte sie auch, wie klar er die Dinge sah und dass er die rastlose, schlaue Grausamkeit in ihr, die ihn manchmal anzog, nicht immer entschuldigen würde. Ich wollte sie vergessen, wollte noch ein wenig länger so tun, als würde sie morgen – irgendwann – anders sein. Oder fort. Manchmal schien mir, als würde dieses Gefühl des Wartens, des angehaltenen, in einem engen Kreis eingeschlossenen Lebens mit ihr vergehen. Ich wusste, dass es nicht so war, dass nichts richtig beginnen würde, was seine Wurzeln nicht in uns selbst hatte, und konnte doch nicht umhin, sie für die Ursache dieses Erstickungsgefühls zu halten. Irgendetwas war in ihr – oder fehlte ihr –, was sie daran hinderte, außerhalb des verbogenen, monströsen »Ich« richtig zu sehen. Mir kam der Gedanke, dass sie tun würde, was immer sie wollte, weil sie falsch sah und keinen anderen Grund für ihr Handeln brauchte als ihre Wünsche. Was schließlich ist die menschliche Vernunft, wenn nicht die *Beherrschung* von Wahnsinn? Aber es muss noch mehr dazugehören, etwas Positives – das Einbeziehen von Liebe und das Absehen von sich selbst. Ich musste mich Gedanke für Gedanke mühsam zu Dingen vorkämpfen, die mir ein Leben lang bekannt und vertraut gewesen waren und die ich bis zu diesem Jahr doch nie begriffen hatte.

Bis zum Mai aber verbarg der erste Nebel des Glücks viel von alldem und stand zwischen mir und dem wirklichen Sehen.

16

Der Mai war ein eigenartiger Monat. Der Anfang des Verstehens. Ein kalter, trockener Monat. Faulig-süßer Alraunengeruch in der Luft, die meisten Dinge dagegen fast zu gekühlt, um zu blühen. Kein Regen und hinter dem Pflug aufwirbelnder Staub. Kalter Staub ist etwas Unheilvolles, und Vater begann sich Sorgen zu machen wegen des verlandenden Teichs. Diese Dinge passten auf bittere Weise zum Ende des Monats, und doch begann er mit stiller Ekstase und Glück.

Am Ersten des Monats ging ich zu den Rathmans hinüber, um das Saatgut zu holen. Max hatte da schon ein neues Auto, dank seines Lohns vom Straßenbau, auch wenn es noch nicht abbezahlt war. Er fuhr öfter in die Stadt als Vater und brachte uns Sachen aus Union mit, sagte aber, unser Land sei zu tief gefurcht, als dass er mit seinem Auto dort entlangfahren könne, und ließ daher alles, was er für uns besorgt hatte, bei ihnen im Haus – das war typisch für Max, und mittlerweile nahmen wir es als gegeben hin. Ich freute mich sogar, dass ich einen Grund hatte, zu ihnen zu gehen. Sie machten einen so soliden und abgesicherten Eindruck und brauchten so wenig. Der alte Rathman hatte einen guten Markt für seine Trauben, und aus dem, was übrig blieb, machte er Wein. Er wusste, wo er seine Sachen verkaufen konnte, und lieferte sie mit dem Laster bis an die Tür. Ihr Land war ihres und nicht verschuldet. Was immer darauf wuchs, gehörte ihnen, kein unsichtbarer Besitzer musste davon bezahlt werden, und der Garten drang bis zur

Haustür vor, mit Kohlrabis, die fast die Treppe unter-
gruben. Alles alt und satt wie die Erde.

Ihr Land war geschützter als unseres, flach und am Fuße
eines Hügels gelegen. Der alte Rathman hatte es seit zehn
Jahren nicht verlassen, während Karl nach Bailey gezogen
war und dort geheiratet hatte und Max sich beim Straßenbau verdingte. Von den dreien war nur Aaron noch da, um
ihm zu helfen. Ich glaube, der alte Mann war froh, ihnen
zeigen zu können, dass er allein genauso gut zurechtkam.
Er rastete nie, und mit seinem Hut auf dem Kopf sah er wie
ein verschrobener alter Gnom aus.

An diesem Tag war er nicht so selbstsicher, wenn auch
noch nicht ängstlich. »Ein ganzer Hektar Erdbeeren verwelkt wie Blätter«, sagte er mit seinem deutschen Akzent.
»Hart … trocken … Kein Regen! Soll man denn mit der
Hand wässern? *Nein! Dann verschrumpeln sie eben!* Die
gottverfluchten kleinen Masern!« Er grinste und suchte aus
der oberen Kistenschicht ein paar für mich heraus. Die Beeren obenauf waren alle groß, die schrumpeligen lagen darunter. »Gib ihr 'ne Kiste davon, Frau«, sagte er zu Mrs.
Rathman und zeigte auf die schlaffen Spinatblätter. »Wir
können die Dingsens ja gar nicht alle essen.« Ich versuchte
ihm klarzumachen, dass bei uns drüben ein halber Hektar
von *diesen Dingsens* welkte, aber er wollte nichts davon
hören.

Seine Frau hatte Redebedarf und erzählte mir von den
Süßkartoffeln, die Max letzten Herbst eigens für sich an-
gebaut, dann aber nicht erkannt habe, als sie sie ihm ge-
kocht vorsetzte. Und von Lena Hone, die jetzt Max' Freun-
din sei … »butterweich, in ihrer Art zu sprechen …
schwarze Augen und Haare … aber nicht besonders
hübsch … erinnert mich irgendwie an dich …« Sie hoffe,
Max werde bald heiraten und sich in der Nähe niederlas-

sen. Karls Mary habe noch keine Kinder bekommen. Vielleicht habe Max mit Lena ja mehr Glück. Ob ich noch länger bliebe? Nein? Na ja, dann ein Glas Apfelkraut …

Sie musste einmal schön gewesen sein; ihr Haar war inzwischen weiß, aber ihre blanken Augen unverändert und die Wangen von einer Art tiefgründigem Humor gerunzelt. Ich fragte mich, wie es wohl war, in Sicherheit zu leben. Schuldenfrei. Ich konnte mir nicht vorstellen, dass sie ihre eigenen brüchigen Stellen hatten, irgendetwas, was unter all der weiß wirkenden Behaglichkeit faul geworden war. Und damals gab es das auch nicht.

Der alte Rathman hielt mich auf, bevor ich ging, und fragte nach Grant. »Und wie findet Pop nu seinen neuen Burschen? Besser als Max vielleicht?«

Ich sagte, Grant mache seine Sache ganz gut, und dann erkundigte er sich noch, ob ich von Ramseys Darlehen wisse. Ob ich wisse, dass »dieser Farbige, Ramsey« (so sprach Rathman immer von ihm, nicht mit Abscheu oder Argwohn, sondern als wäre er ein Wesen aus einer anderen Welt oder wie man vielleicht von einem Buschmann oder einer Giraffe sprechen mochte) – ob ich wisse, dass der letztes Jahr fast von seinem Hof gejagt worden wäre? Nein, sagte ich, und er erzählte mir, dass Ramsey zu ihm gekommen sei und ihn um Geld für seine Pacht gebeten habe. »›Aber ich hab kein Geld‹, hab ich ihm gesagt. ›Land und Gemüse schon, aber kein Geld!‹ Hätt ihm vielleicht Kohlrabi geben sollen, dass er seine Pacht damit begleicht! Die Frau hat ihm ein Glas Eingemachtes gegeben, aber kein Geld.«

Dann entnahm ich seinen weitschweifigen Reden, dass Ramsey zu Koven gegangen war und das Geld dort bekommen hatte. Rathman wusste das, weil er Koven selbst gefragt hatte. Demnach hatte Grant ihm zunächst geraten, nicht zu zahlen – die Pacht sei sowieso zu hoch. »Sollen sie doch versuchen, dich zu vertreiben, und dann warte ab, was passiert«, habe er gesagt. Aber Christian hatte Angst und wollte es nicht riskieren. »Du kommst vielleicht mit so was durch«, hatte er zu Grant gesagt, »du bist nich' schwarz. Du hast keine Frau und keine sieben Kinder. Wenn du schwarz bist, kannst du nich' abwarten und mal seh'n, was passiert. Du *weißt*, was passiert!«

Da hatte ihm Grant das Geld geliehen und hätte es ihm auch schon früher gegeben, wenn es ihm nicht so gegen den Strich gegangen wäre, Turner Geld in den Rachen zu schmeißen, der es nicht brauchte und die Schulden über Christians Kopf baumeln ließ, bis der so mürbe geworden war, wie ein Schwarzer nur werden konnte. Turner zu bezahlen sei Grant vorgekommen, wie Perlen vor die Säue zu werfen oder einen wurmstichigen alten Schuppen mit guten neuen Pfählen abzustützen, aber wenigstens besser, als das Dach über Ramseys Kopf einstürzen zu lassen. Man konnte nicht dabeistehen und nichts tun, bloß weil man es falsch fand, dass ein anderer derart in der Falle saß.

»Noch mal wird Grant ihm wohl nichts leihen«, sagte Rathman. »Koven ist zwei Jahre mit seinen Steuern hinterher.«

So krochen wir also alle durch die Ackerfurchen, dachte ich, und schoben unsere Schulden vor uns her wie Mistkäfer ihre Kugel. Noch schlechter dran als die Käfer, die ihre Last ja vergraben können und sie dann los sind. Wir alle außer den Rathmans jedenfalls. Sie sind in Sicherheit, dachte ich, abgepolstert gegen die Angst. Sie brauchen nur für das Jetzt zu arbeiten und nicht für die hinter ihnen liegenden Jahre zu bezahlen.

Ich ging durch ihre Obstplantage zurück, wo die ersten Apfelbäume blühten, weiß und dicht wie ein Schneesturm, und die lang gebogenen Äste bis zum Boden reichten.

Lieber Gott, waren sie schön! Ich stand ein paar Minuten unter einem von ihnen, der mir wie das Innere einer großen, weißen Schüssel vorkam. Meisen pickten in der schuppigen Rinde nach Blattläusen und veranstalteten ein anhaltendes lärmiges Geklacker. Ich fühlte mich leicht und auf eine närrische Weise froh – die Ramseys, die Hypothek und Kerrin waren vergessen und nur mehr Schatten. Und ich wusste, dass es zum Teil an dem heißen Blumenduft lag, mehr noch aber daran, dass der alte Rathman mit mir über Grant gesprochen und ich seinen Namen gehört hatte.

17

Gegen Mitte Mai waren fast alle Konserven vom Vorjahr verbraucht. Neun Einmachgläser verdorben. Mutter tat so, als wäre das aus irgendeinem Grund ihre Schuld, anstatt es den billigen Weckringen anzulasten, die Vater gekauft hatte. Das war ihm nötig erschienen, weil neue Milchsterilisatoren angeschafft werden mussten und er bei den Dingen, die wir selbst brauchten, zu sparen versuchte. Die Gläser verströmten einen ranzigen Geruch, der einem den Magen zusammenzog und noch Stunden, nachdem wir das Zeug weggeworfen hatten, an den Händen haftete. Die Kühe gaben weniger Milch, und wegen der Zwiebeln waren sechs Gallonen verloren. Milch war überall knapper geworden, und trotzdem bekamen wir in der Molkerei nicht viel mehr dafür als vorher. Im letzten Jahr hatte es zu viel gegeben, und alle Bauern hatten welche gehabt; Vater bekam pro Gallone weniger, weil auch Rathman seine Kannen dorthin schickte. Dieses Jahr hatte niemand viel, aber der Preis schien sich nicht zu ändern – jedenfalls nicht an der *Hintertür* der Molkerei. Wie das alles funktionierte, war von einer verdrehten Perfektion.

Ich betete zu Gott, dass es regnen würde. Inzwischen konnte ich durch das Flussbett beim Steinbruch laufen, und auf den Feldern wuchs nur die gespenstische Kochbanane unbeirrt weiter. Der Boden hatte klaffende Risse, und beim Anblick der sich bereits gelb färbenden Weiden wurde Dad immer verzweifelter. Von diesen Dingen zu erzählen ist nicht schwer. Wir waren an sie gewöhnt und hatten noch Hoffnung. Am schwierigsten in Worte zu fassen ist das, was wir am meisten spürten. Von Hass lässt sich immer leichter sprechen als von Liebe. Wie soll ich Liebe so durch das Sieb der Worte drücken, dass etwas anderes herauskommt als ein Brei?

Grant war gut, sehr gut zu mir. Schlimmer hätte es für mich nicht sein können. Irgendetwas hakte und stolperte in mir, wenn ich unerwartet seine Stimme hörte, aber nach einer Weile verdampfte der närrische Rausch und Nebel, und übrig blieben nur der Schmerz und die Wirklichkeit. Ich begann klarer zu sehen, vor allem nach einem Abend, als Grant und ich zusammen zur Nordweide gegangen waren, um seine Armbanduhr zu suchen, die er irgendwo beim Pflügen verloren hatte. Die Sterne flackerten und funkelten, und im Westen brannte ein gewaltiger Planet herunter. Ohne Mond war es dunkel, aber die weißen Flecken von Immortellen leuchteten wie Scheiben im Gras. »Du suchst beim Pflug«, sagte er, »und ich wühle im Unkraut, da könnte sie auch hingeflogen sein.« Dann fand ich sie halb vergraben bei der Pflugnase, tief in einer staubigen Furche. Die Uhr war alt, groß und silbern, und er besaß sie schon seit vielen Jahren. Grant konnte die Zeit weder nach der Sonne bestimmen noch nach seinem Hunger. »Ich würde zum Mittagessen heimkommen, wenn Merle noch beim Frühstücksabwasch ist«, sagte er. »Verlass dich auf nichts Natürliches, Marget. Nur auf diese Rädchen.« Er betrachtete ihren runden, matten Schein im Sternenlicht und wischte den Staub von ihrem Zifferblatt.

Von den Holzapfelbäumen ging ein wildsüßer Geruch aus, und ich spähte durch ihre gewundenen Äste zu den Sternen hinauf. Alles schwindet, wird unwichtig im Dunkeln. Es ist fast wie Schlaf. Freiheit vom Selbst, von der Hässlichkeit – ein Entkommen, sogar vom Gedanken an Kerrin und die Schulden und morgen. Das Dunkel ist wie die Anwesenheit eines Beichtvaters. Nun legt alle Mühsal eures Lebens nieder … beichtet all die Phantome … entlastet euch im Dunkeln von den Ablagerungen des Tages … Doch als ich zu Grant sagte, dass die Nacht das einzig verlässlich Heilsame sei, das nichts einem rauben könne, schüttelte er den Kopf. »Nicht für mich, Marget. Die Nacht ist eine Art Blindheit. Etwas, was man hinter sich bringen muss. Ich mag den Mittag. Kurze Schatten. Ich sehe gern, was ich tue.« – »Das wird dir die Sonne nicht immer zeigen«, wollte ich sagen. Tat's aber nicht. Grant hatte kein flaches, freudloses Gesicht zu verbergen. Nichts, was nicht auch Mittagssonne vertrug. Was kümmerte es ihn, dass Kerrin immer unvernünftiger wurde? Was kümmerte ihn unsere Hypothek? … Das Gefühl der Unbeständigkeit und Warterei? … Der unabsichtliche Hass der Liebe? … *Er* konnte ja gehen, wenn er wollte. *Er* hatte kein Bedürfnis nach Sicherheit und festem Boden unter den Füßen. Noch störte ihn die furchtbare Verschwendung im Leben. Er hatte jene harte Schicht in sich und konnte die Dinge hinnehmen, ohne zu brechen … Ich schwieg, während ich all das dachte, und wir waren bald zurück. Es gab keinen Grund, draußen zu bleiben, auch wenn es fast eine Sünde schien, in solchen Nächten zu schlafen, blind und tot für den Anblick der Sterne. Aber wir waren so müde, dass auch sie keine Rolle spielten. Vater und Grant schliefen immer, als wären sie Eisenklumpen, und Merle wäre nicht mal aufgewacht, wenn Gott selbst draußen in der Nacht gewartet hätte. Kerrin dagegen ging nach Einbruch der Dunkelheit jetzt öfter hinaus denn je.

Sie war noch unterwegs, als wir wieder ins Haus kamen, aber Vater dachte, dass sie es sei, die da mit Grant in der Tür stand, drehte sich zu uns um und versuchte, im rauchigen Licht etwas zu erkennen. »Wo wart ihr?«, schimpfte er. Die

Lampe bebte in seiner Hand, warf Schatten wie schwarzes Feuer und ließ seine Brillengläser blitzen. Grant verstand Vater ziemlich gut und wusste ihn zu beruhigen oder es zumindest nicht schlimmer zu machen. Er sagte, wir hätten seine Armbanduhr gesucht. »Marget hat sie in einer Acker-furche gefunden, Ich glaube, sie kann im Dunkeln sehen.« Da begriff Vater, dass ich es war und nicht Kerrin, und stieß eine Art von erleichtertem, verlegenem Grunzen aus. »Bist du's, Marget?«, fragte er. »Kommst besser bald rauf, ins Bett.« Dann ging er nach oben und ließ uns zusammen im Dunkeln stehen. Ich war es und nicht Kerrin, und so gab es nichts zu befürchten, keinen Grund zu schimpfen.

Ich sah ganz klar, was er gemeint hatte, und es tat nicht weniger weh, zu wissen, dass es stimmte.

18

Ich erkannte immer deutlicher, was ich schon wusste, ohne in Gedanken weit genug gegangen zu sein, um es mir einzugestehen. Ich glaube, ich verstand es nicht durch irgendein ausgesprochenes Wort, sondern las es an Grants Gesicht ab in Augenblicken, wenn es nicht geschützt war. Grant war kein einfacher Mann wie Vater. Keiner, dessen Liebe und Hass man nah bei seinen Augen oder seinem Mund fand. Das mochte ich an ihm und war dennoch verwirrt, nicht an Menschen gewöhnt, die ihr Empfinden wie ich so sehr versteckt hielten.

Was Merle damals empfand, weiß ich nicht. Wir sprachen nie direkt oder offen über ihn außer auf ganz gewöhnliche Weise. Sie redete manchmal mit knappem, fast mitleidigem Spott von Kerrins Art und lachte über sie, doch ohne Häme, wie es nur jemand tun kann, der weder hasst noch liebt. Oft sahen wir sie zusammen bei dem Schlangenkletterfarn stehen, den Grant für Mutter ausgegraben hatte und den Kerrin jeden Tag genau zu der Zeit wässern ging, wenn er mit der Milch zurückkam; dann sah Merle mich an und lächelte. Wir hörten ihr schrilles, schwarzes Lachen und sahen, wie Grant in ihr heißes, aufgeregtes Gesicht hinabschaute. Ich war froh, als der Farn einging und wir Kerrin nicht weiter dabei zusehen mussten, wie sie diese Farce veranstaltete, sich allabendlich um ihn zu kümmern. Es ist schwer mitanzusehen, wenn Menschen sich idiotisch aufführen. (Noch schwerer, mitanzusehen, wie sie literweise Wasser auf den Farn schüttete.) Grant wollte auf eine fast Mitleid erregende Weise gefallen und hatte den Farn im Schluchtwald ausgegraben. Als er einging, sagten wir es ihm nicht – außer Merle. Sie zeigte auf das trockene, verschrumpelte Ding und sprach von »frühem Heu«. Grant lachte, wurde aber hochrot. Er ging los, um noch einen zu holen, fand jedoch keinen mehr. »Warum muss er andauernd Sachen aus der Erde ziehen und woanders hinbringen?«, fragte mich Merle. »Warum kann er sie nicht dort wachsen lassen, wo sie nun mal sind? Geht schon genug Zeug ohne sein Zutun ein!«

Auch sonst benahm sich Kerrin so. Als die Männer beim Heumähen gewesen waren, hatte sie ihnen jeden Vormittag zweimal Wasser gebracht. Einmal bot ich ihr an, es für sie zu tun, weil sie müde aussah und ich dachte, sie wäre vielleicht froh, wenn ich es zur Abwechslung mal übernehmen würde, aber sie ging auf mich los wie eine Bergkatze und brüllte fast. »Das hast du doch nie gemacht«, sagte sie. »Wieso jetzt?« Dabei sah sie mich durchdringend an und brach in Gelächter aus. Zu hassen war zwecklos. Ich sagte mir: Wir haben keine Zeit zum Hassen; es ist blinde, schreckliche Verschwendung – aber ich konnte mir nicht helfen. Kerrin begehrte Grant, begehrte ihn mehr als alles, wonach sie je die Hände ausgestreckt hatte. Weil er greifbar war, nehme ich an. Es war nicht wirklich Grant, den sie begehrte oder für den sie etwas empfand, denn sie kannte ihn unter der Oberfläche gar nicht. Ich musste an Aasreben denken, die sich mit hungriger Ziellosigkeit blindlings in alle Richtungen vortasten, bis sie einen Stängel finden, um den sie sich wickeln können.

Also ließ ich sie ziehen – für andere Arbeit taugte sie ohnehin nicht viel – und ging zum Erdbeerfeld hinunter. Die Sonne war so heiß, als hätte man eine Decke aus Feuer über den Schultern, der Wind jedoch kalt. Der Boden aufgesprungen und von Hahnenfuß überwuchert. Das Feld war alt und trug nur wenige Beeren. Es war schwer, sie jedes Jahr am Leben zu erhalten und immer wieder neue zu pflanzen. Ich war müde, aber das Gras roch gut – ein Heugeruch und doch voller Grün. Ich erinnerte mich, wie ich mich vor Jahren auf einen Felsvorsprung unter eine Rosskastanie gesetzt hatte und deren gelbe Blüten wie durch ein Sieb auf die Ameisenhügel herabregneten. Ich weiß nicht, warum mir das jetzt wieder in den Sinn kam, außer dass ich mich erinnerte, wie gut es sich damals angefühlt hatte, nichts zu tun und meine geschwollenen Füße auszuruhen und mich sonst um nichts zu kümmern oder zu sorgen. Ich war müde gewesen, aber es war nicht das gleiche Gefühl wie in diesem Frühling: nicht diese Müdigkeit, die vom langen Warten kam und davon, Monat für Monat alles Mögliche zu tun, ohne dass sich etwas änderte. Noch hatte es damals das Gewicht all dieser Dinge gegeben – ich wünschte, ich wäre zehn Jahre jünger oder älter! Wenn ich jünger wäre, würden sie nicht existieren; und wäre ich älter – dann könnte ich lernen, sie zu akzeptieren. Ich wünschte, es wäre jemand da, dem ich all das hätte sagen können. Einmal ausgesprochen, hätte es mich nicht mehr so belastet. Aber denen, die hier waren, konnte ich es nicht sagen und dann weiter mit ihnen zusammenleben, wissend, dass sie es wussten und darüber nachdachten und immer im Kopf hatten, wenn sie mich ansahen. Sie wären freundlich zu mir gewesen, ich weiß, aber Freundlichkeit ist ein bitterer Trost.

ZWEITER TEIL

Die lange Dürre

1

Als es Juni wurde, war vieles schrumpelig braun geworden, aber noch nicht alles vertrocknet und hässlich. Schlimmer als die Hitze und Trockenheit war die Angst davor, was sie anrichten *würden*. Ich stellte mir vor, wie das Fortdauern der Dürre eine furchtbare Faszination ausüben könnte, die verdrehte Perfektion, mit der sie langsam alles vernichtete. Wir hätten uns wundern und ausrufen können, so etwas habe es noch nie gegeben, nie etwas Schlimmeres, hätten uns zum Vergleich mit düsterem Vergnügen an all die anderen Jahre erinnern und den Kopf schütteln können. Doch das war denen vorbehalten, für die es wie ein Spiel war, etwas, was sich vergessen ließ, sobald es vorbei war. Für uns gab es keinen letzten, segensreichen Vorhang – höchstens den Tod. Es war zu real.

Doch selbst in diesem Jahr war die Schönheit mancher Stunden und Orte so ungeheuerlich, dass sich mein Herz verkrampfte und mir die Worte fehlten. Es gab Abende mit einem fast überirdischen Geruch, in dem sich wilder Wein und Trompetenbaumsüße mit gerade erblühendem Geißblatt und anderen Blütendüften vermischten, und nachts wachte ich im blendenden Mondschein auf und hörte die Klage einer Spottdrossel in den Feuerbüschen. Auf den schwarzen Marschfeldern wimmelte es von Glühwürmchen, die sekundenlang in der Luft zu stehen schienen. Die Erde war überschwemmt von Schönheit und wusste nichts davon, und mir wollte das Herz bersten von ihrer unerträglich lieblichen Pracht.

Für Merle war eine Art Herrlichkeit in allen Dingen, als

hätte ihr Blick einen Heiligenschein – ich weiß nicht, wie ich es sonst beschreiben soll –, nicht nur in den pfauenblauen und braunen Häuten der Eidechsen oder dem ins Auge springenden, nahezu blendenden Weiß der Gänseblümchenfelder, sondern in allem, was sie sah und tat. Im Entsteinen der Kirschen und den Säureflecken, die sie in ihrer Haut hinterließen, in der Hitze und Hektik ihres Einmachens … dem rasenden Herd, zu heiß, um in seine Nähe zu kommen, und dem Dampf aus den kochenden Gläsern … der satten Sirupröte, in der sich die Kirschen auflösten. Sie stürmte zwischen den Kesseln hin und her, kostete und kleckerte – rief Huh! und Hah!, wenn die Kirschen überschwappten, tropfte mit einer Hand das Wachs, während sie mit der anderen rührte, inhalierte den starken Geruch von verbranntem Saft, der schwarz wurde, wo die Masse überkochte. Ich wusste nicht, was es war – schlicht Gesundheit vielleicht, zu viel, um sie in sich zu bergen, nach außen abstrahlend wie ihre überheizten Öfen. Und dann wieder konnte sie ganz still sein, bis zur Stummheit erschüttert vom Anblick Hunderter Hektar Weizenfelder, rot-orange und schön wie im Wind wehendes Fell.

Trotz der Dürre waren die Kirschen in diesem Jahr prall, und Grant brachte ihr die Früchte, wenn sie selbst keine Zeit fand; entsteinte am Abend sogar welche für sie und blieb spät auf, wenn sie sie noch einmachen wollte. Er tat das, sagte er, weil er so gern Torten aß und befürchtete, dass Merle einschlafen und Gott weiß was in die Gläser füllen würde. Der Geruch von kochenden Kirschen war süß, mit einer guten, säuerlichen Note, und ich dachte immer wieder an die dahinschwindenden Zuckervorräte und wünschte, Merle würde weniger hineintun und schauen, ob sie nicht auch so haltbar blieben. Ich fragte mich, was uns all das Obst nützen würde, wenn wir bald nicht mal mehr die Weckringe bezahlen könnten. Es gab mehr Früchte, als wir selbst verbrauchen konnten, aber nicht genug, um sie zu verkaufen, denn zum Expedieren waren es zu wenige und die Märkte von Union schon überschwemmt. Es schmerzte, Dinge verderben zu sehen, und manchmal luden wir sie zusammen mit der Milch auf den Wagen.

»Gebt sie doch weg«, sagte Mutter. »Besser als die Häher und Würmer zu mästen. Irgendwer wird sie schon nehmen, wenn sie nichts kosten.«

»Nächstes Jahr verschwenden wir kein Spritzmittel mehr darauf«, murmelte Vater. »Man kann nichts verschenken, wenn niemand einem was wiedergibt. Man kann nicht ohne Profit arbeiten, wenn's rundherum keiner macht. Ich würde sie kostenlos abgeben, wenn ich was umsonst dafür wiederbekäme.«

»Irgendwer muss anfangen«, sagte Grant. Es war das einzige Mal, dass ich mitbekam, wie er Dad in zwecklose Wut versetzte.

»Nicht bloß irgendwer!«, brüllte Vater. »Nicht bloß ich oder du oder wir! Alle müssen das machen. Man kann nicht Milch und Schweine und Zeit verschenken, wenn man Pflug und Öl bezahlen muss – und einen Mann, der einem hilft!«

»Ist aber so ungefähr das, was Sie machen«, sagte Grant.

Vater hieb mit der Faust auf den Tisch. »Kann schon sein«, fauchte er, »kann sein, aber richtig nenn ich das trotzdem nicht!«

Ich saß dabei und dachte, dass ich das schon tausendmal gehört hatte. Es war so neu und alt und abgestanden und wichtig wie das Wetter.

Danach hatte sich Vater mir zugewandt, froh, das Thema zu wechseln, und mich gebeten, am Abend zu Ramsey zu reiten und ihn zu fragen, ob er sich am nächsten Tag dessen

Maultier ausborgen könne, und falls ja, würden wir ihm im September bei der Maisernte helfen. Grant sah Vater an, als wisse er nicht, wo wir die Zeit hernehmen sollten, und mir war es auch nicht klar. Ich fragte mich außerdem, ob Christian uns sein Maultier ohne Gegenleistung borgen würde.

»Vielleicht habt ihr im September keine Zeit«, sagte Kerrin. »Da haben wir unseren eigenen Mais zu ernten.«

»Dad wird schon Zeit finden«, warf Mutter rasch ein. »Das hat er in anderen Jahren auch geschafft. Ramsey hat mehr Mais gepflanzt als wir. Er wird Hilfe brauchen.«

»Mit einem durchgerittenen Pferd kann ich nichts anfangen«, sagte Vater zu Kerrin. »Ich brauch eins von Ramseys Maultieren. Wer soll denn was dafür *zahlen*?« Er sah sie scharf an und wartete.

Da machte sie einen Rückzieher. »Na schön«, sagte sie zu ihm. »Nur zu. Es wird dir noch leidtun.«

Dad grinste auf seine hilflose, gereizte Art und wandte sich dann wieder mir zu. »Geh du«, sagte er. »Merle würde zu lange brauchen – sie redet zu viel. Du wirst nicht so viel Zeit verschwenden wie sie.«

»Lucia wird mit Marget genauso viel reden – die würde sogar auf einen Zaunpfahl einreden«, hörte ich Kerrin sagen, nicht laut, aber für meine Ohren bestimmt – und ich ging schnell hinaus, damit es schien, als hätte ich es nicht gehört.

Es wurde schon dunkel, und Grant sattelte das Pferd für mich. »Ramsey wird ihm das Maultier schon borgen«, sagte er. »Sieh zu, dass Lucia dir nicht noch die ganze Farm dazugibt.«

2

Unterwegs dachte ich viel an Grant und nahm nicht wahr, ob die drei Meilen lang waren oder nicht. Es hatte etwas schmerzlich Schönes, an sein Gesicht zu denken – die hagere Nase und seine klaren Augen, die viel mehr sahen als Vaters oder sogar Merles. Ich sah ihn vor mir, wie er sich, den Löffel wie einen Spaten in den großen Händen haltend, über die kochenden Kirschen beugte und davon kostete, um ihr eine Freude zu machen und sich selbst genauso; und Merle, das Gesicht vom Dampf feuerrot, wie sie ihre Augen plötzlich unnatürlich blau werden lassen konnte und ihn damit anfunkelte, ihn zur Kritik herausforderte, und ihr schallendes Gelächter angesichts seines gekräuselten, grimassierenden Munds. Ich fand es seltsam, dass sie nicht merkte, was ihm doch ins Gemüt und Gesicht geschrieben stand – und seltsam, dass sie ihn trotzdem nicht liebte. Ich wollte Merle keinen Mann unterwürfig lieben sehen, aber ich wünschte, sie würde ihm mehr schenken als diese beiläufige Zuneigung und mehr empfinden als das Bedürfnis nach jemandem zum Anlehnen. Bei allem, was er an Gefühlen in ihr auszulösen schien, hätte er auch einer von uns sein und seit Jahren hier leben können. Ich wünschte, sie würde es erkennen und ihm etwas zurückgeben, mochte mir nicht vorstellen, dass Grant irgendwann so leiden könnte, wie ich gelitten hatte – und dann und wann noch litt … Inmitten all der kleinlichen wimmelnden Gedanken gibt es immerhin etwas, wofür ich dankbar sein kann: Ich war nie eifersüchtig auf Merle, betete nie darum, dass Grant nichts für sie empfinden möge; manchmal habe ich sogar darauf hinzuwirken versucht, dass sie ihn besser verstand. Das ist nicht viel, aber es ist immerhin etwas.

Ich ritt durch das seltsame Geruchsgemisch aus Heu und Dunkelheit, Unkraut und Viehgehegen und später den schweren Malzgeruch der Haferfelder unten bei Ramsey. Und dachte bei mir – wenn mich irgendetwas wappnen könnte gegen all das, was kommen mochte (und es gab Zeiten, da hatte ich trotz einer immerwährenden Hoffnung das Gefühl, dass wir uns auf etwas Furchtbares, Endgültiges zubewegten), dann müssten es die kleinen, ewigen Dinge sein – das lang gezogene fließende Geheul der Klagenachtschatten in der Nähe der Höhle … die Umrisse junger Maultiere vor dem Kamm, die leichtfüßiger als Antilopen über die Weide liefen … Dinge wie der Chor der Zikaden und die am Abend rot gefleckten Teiche … Solange ich sehen kann, dachte ich, werde ich nie richtig schlimmen Hunger oder Durst leiden oder den Wunsch haben zu sterben … und all das dachte ich, weil ich ahnungslos war, weil ich immer noch die Hoffnung hatte, dass Grant nicht unerreichbar für mich war, und weil ich ihn wenigstens noch sehen und hören konnte. Aber ich hatte Angst und betete. Herr, lass mich mit den kleinen Dingen zufrieden sein. Mach, dass ich mich damit zufriedengebe, auf der Außenseite des Lebens zu leben. Gott, mach, dass ich die Rinde liebe!

Bei Ramseys war Licht, und ich hörte Ned brüllen: »Haut ab jetz'! – haut ab – lasst mich in Ruhe jetz'! Schieb dein' Hintern aus mei'm Gesicht, Chahley«, und ich hörte ihren wilden, ungezähmten Gesang und Lucias Lache. Nur keinen Ton von Christian. »Ein schwermütiger Mann«, sagt Lucia. Und eine Seltenheit, ein schweigsamer, fast schon stummer Schwarzer, der das Land mehr liebte als jede Gesellschaft.

Lucia wuchtete sich hoch und zündete eine Kerze an, und die Kinder kamen vorsichtig hinterher, schüchtern, untereinander kichernd. Sie zogen Grimassen und rannten kreischend weg außer Henry, der dastand und schaute, halb hinter Lucias gewaltigem Arm versteckt. »Henry ist wie Chrishun«, sagte Lucia. »Läuft ihm überall stumm nach.«

»Hab ich gehört«, platzte Henry laut heraus und verschwand schamgepeinigt hinter ihrem Rock. Christian saß krumm und angespannt auf seinem Stuhl. Im Kerzenschein sah sein Gesicht wie ein geschnitzter schwarzer Schädel aus, und in seinen gefleckten Augäpfeln spiegelte sich das Feuer. Er grübelte, schien von etwas absorbiert zu sein, das uns nicht betraf, und so übernahm Lucia das Reden, ihre Stimme ein tiefes, tröstliches Dröhnen.

Das Haus hatte zwei Räume (einer war eine Art Stall für die Hunde und Hühner), und in den Ecken um uns herum zeichneten sich undeutlich Betten und Sackleinen ab. Es gab einen Herd und einen Tisch, und der Geruch war eine schwere Mischung aus stickiger, verbrauchter Luft, abgestandenem Kaffee und Suppe. Die Wände waren mit Bildern bedeckt: verschlissenen Bibelillustrationen – Der gute Hirte und Das Scherflein der armen Witwe – und Reklame für Lebermedizin. In den Ecken waren alte Zeitungen für den Herd gestapelt, darunter bündelweise Kleinholz, das Christian von seinen Fahrten zur Stadt mitgebracht hatte. Schwül war es hier drinnen, und Mücken jammerten durch die zerrissenen Fliegengitter herein und wieder hinaus, doch Lucia saß sanft schaukelnd da und schien von deren Stichen nichts zu merken. Runde Silberschweißkügelchen standen in ihrem Gesicht und rannen an ihren glatten Wangen hinunter wie friedliche Tränen.

Seit zehn Jahren pachtete Ramsey Land und rechnete

damit, es zu kaufen, aber er schaffte nie mehr, als die Pacht zu verdienen und die Hälfte der Ernte zu speichern, um über den Winter zu kommen. In fünf Jahren hatten sie fünfzig Dollar gespart und sie dann für ein neues Gespann ausgeben müssen. Aber jeden Frühling wieder verkündete Lucia, *dies* sei das Jahr, in dem sie es schaffen würden. Ramsey murmelte dann auch etwas in der Art, und doch konnten sie immer wieder nur die Pacht aufbringen ... Als ich sagte, dass ich gekommen sei, um sie um Hilfe zu bitten, wirkten sie überrascht, und auf einmal dämmerte mir, dass wir ihnen so vorkamen wir die Rathman uns. Abgesichert. Gut gestellt. Einen Anschein von Reichtum erweckend, mit unserem Milchbetrieb und dem Mais und den Hühnern, unseren Rindern, dem Pferdegespann und den Obstbäumen – obwohl jedes Einzelne kaum genug einbrachte, um sich selbst zu erhalten. Ich erzählte ihnen von dem wund gescheuerten Pferd, und Lucia schaute abwartend zu Christian. Ginge es nach ihr, hätte sie uns beide Maultiere gegeben und auch sonst alles, was sie in die Finger bekommen konnte.

Christian starrte auf seine Hände und antwortete langsam und nuschelnd, als strengte ihn das Sprechen an. »Könnt beide haben«, sagte er. »Einzeln zieh'n sie nich' gut. Braucht im Herbst nich' helfen kommen.«

»Chrishun glaubt nicht, dass wir dann noch hier sind, zur Maisernte«, sagte Lucia. »Wir können Turner die Pacht nicht mehr zahlen. Der will Bargeld und die halbe Ernte, und Bargeld haben wir dies Jahr keins. Aber der kriegt uns hier trotzdem nicht mit den Wurzeln rausgerissen! Ich beweg mich kein Stück weg! Da muss Turner schon mächtig ziehen, wenn er diese große schwarze Zecke aus seinem alten Hundeohr rauskriegen will!«

»Koven wird uns nix mehr leih'n«, murmelte Christian. »Der hat jetzt selbst nix mehr.«

»Grant Koven arbeitet doch jetzt für euch, oder?«, fragte Lucia mich.

»Gegen Verpflegung und Halbpacht«, sagte ich. »Vater kann ihm nicht viel zahlen. Der alte Koven lebt von den Rindern und seinen Ersparnissen. Hat gerade genug für sie selbst, aber nichts drüber.«

»Grant ist zur Schule gegangen«, sagte Lucia, »und Mister Koven ist Pfarrer. Grant ist 'n guter Mann.«

Es gefiel mir, dort zu sitzen und über Grant zu reden, mit diesen Leuten, die nicht hellhörig werden oder mir auf die Schliche kommen würden, von den Dingen zu sprechen, die ich an ihm mochte. »Grant arbeitet hart«, sagte ich. »Härter als irgendwer, den ich kenne, außer meinem Vater. Scheint ihm ganz gut dabei zu gehen. Liest abends. Und wird nie so hitzig wie Dad.«

»Dein Pop is' 'n guter Mann!«, rief Christian plötzlich aus.

Er warf mir mit seinen gefleckten runden Augen einen strengen Blick zu und versank dann wieder in seinen Grübeleien.

»Chrishun mag's nicht, wenn man über deinen Dad redet«, sagte Lucia. »Den meisten würde er seine Maultiere nicht geben!«

Sie kam mit mir zur Tür, blendete mit ihrem stattlichen Körper das Licht hinter ihr aus und sog die Luft ein. Dann schaute sie zu den Sternen, die jetzt immer viel zu klar waren, nie wechselnd oder bedeckt. »Könnte morgen regnen«, sagte sie. »Fühlt sich jedenfalls nicht wie Frost an.« Die Kinder kicherten, und Christian stieß ein gereiztes Lachen aus. »Hol besser schon mal deine Arche raus, Lucia«, sagte er.

Lucia grinste. »Chrishun hat 'nen sauren Magen«, sagte sie. »Deshalb kommen seine Wörter alle so gallig raus. Sag deinem Pop, er kann die Maultiere gern haben, soll nur zusehen, dass sie sich nicht erkälten.«

Der Rückweg kam mir lang vor. Ich war froh, die Maultiere bekommen zu haben, aber mir war auch beklommen zumute, weil wir uns vielleicht nie würden erkenntlich zeigen können – wir hatten schon Schulden genug, ohne noch die Last der Gefälligkeit draufzurechnen. Trotzdem konnte ich an nicht viel anderes denken als daran, wie erleichternd es sein würde, nach Hause zu kommen und bald schlafend im Bett zu liegen. Schon der Gedanke ans Absatteln des Pferds war anstrengend, und ich versuchte, meine Müdigkeit zu unterdrücken, indem ich mir einbildete, Grant würde auf mich warten und es für mich tun. Dann ließ ich auch das sein, und es blieb nichts als das Schwanken und Stolpern des Pferds und die Qual der Müdigkeit, die mir wie ein Stein auf der Lunge lag. Die Sterne waren dumme, schmerzende Stecknadelstiche, und ich fragte mich, ob ich erst die Erbsen oder erst den Spinat verbrauchen sollte und wie schnell beides so oder so vertrocknen würde und ob Kerrin dran denken würde, dass sie den Hühnerstall ausmisten sollte – oder es tun würde, falls sie dran dachte –, und wie Dad es aufnehmen würde, wenn er herausfand, dass Streichhölzer anderthalb Cent teurer geworden waren.

Neben dem Stall stand ein Licht, als ich zurückkam, und kurz dachte ich, Grant hätte vielleicht wirklich gewartet, und vor törichter Hoffnung zitterten mir die Hände an den Zügeln. Dann trat Merle aus den Eichenschatten heraus und half mir, den Sattel abzustreifen, und führte Cairn zur Tränke.

»Alle schlafen«, sagte sie, »vor allem Grant. Hat nicht mal gemerkt, wie grau das Geschirr war, das er abgetrocknet hat, und sich gerade mal das Gesicht gewaschen. Abgerackert wie ein altes Maultier.«

Ich fragte, ob Kerrin schon zurück sei, und Merle sagte, sie schlafe auch. »Vielleicht kriegen wir sie zur Abwechslung ja mal ein bisschen zum Arbeiten«, sagte sie, aber ihre Stimme passte nicht zu ihren Worten.

»Was machen wir bloß mit ihr?«, brach es aus mir heraus. »Es geht ihr ja nie mehr gut – sie sieht aus wie das Gespenst von einem Menschen. Es ist furchtbar, zu sehen, wie sie sich zugrunde richtet! Es ist furchtbar, sie so unglücklich zu sehen!«

»Da kann man nichts machen«, sagte Merle. »Sie war immer schon so. Sie gehört nicht hierher, und woanders kann sie auch nicht hin. Sie hat Grant heute Abend gebeten, wieder zu singen, aber stattdessen ist er eingeschlafen. Auf seinem Stuhl zusammengesackt wie ein Toter.«

Wir gingen hinein und sahen, dass in Kerrins Zimmer Licht brannte, schwach und unstet wie von einer Kerze, und schauten uns an. Es war still und heiß im Haus, und die Mücken kamen durch die zerrissenen Stellen in den Fliegengittern, auch da, wo Merle sie mit Papier zugeklebt hatte. Wir gingen ins Bett, und Merle schlief reglos, so tief und fest, als wäre sie noch sieben und das Bewusstsein bloß ein Schuh oder eine Anstecknadel, etwas, was man trägt, wenn man es braucht, und genauso mühelos wieder ablegt. Ich selber war noch lange Zeit wach und dachte darüber nach, was passieren würde, wenn nicht bald Regen käme, und wie Dad seine Steuern begleichen sollte. Ich dachte daran, dass jetzt Juni war, und begann den Wert all dessen auszurechnen, was wir besaßen, und zu überlegen, ob der neue Stall für die Pferde eine so gute Idee gewesen war, auch wenn Grant ihn uns gratis gebaut und der alte vor sich hin gegammelt hatte wie Eichen im Sumpf. Ich dachte, wir hätten vielleicht bis Juli warten und nichts, nicht mal zehn Cent zu den Abgaben hinzufügen sollen, die uns ohnehin blühten. Mir fiel ein, dass ich am nächsten Tag mit Kochen dran war, und ich vergeudete viel Zeit damit, mir zu überlegen, wie ich einen Kuchen ohne Zucker backen könnte, der so schmeckte, als wäre welcher drin – und dann ging bei Kerrin das Licht aus, und ich hörte, wie sie sich in ihrem Bett bewegte, und die alte, quälende Angst war wieder da, eine Art dunkler Fleck auf allen anderen Gedanken. Wir lagen hier wie in uns selbst eingesperrt und begraben, und nur Merle schien noch frei zu sein von der Liebe, dem Hass oder der Angst, die in uns verschlossen waren. Und während ich so im Dunkeln lag, wollte mir scheinen, dass das Leben umso bedrückender und vor lauter Möglichkeiten nur immer verworrener wurde, je mehr ich nachdachte, las oder sah. Nicht das tägliche Leben vielleicht, aber sein gesamter Plan, sein Muster. Das Leben zu bestreiten war einfach genug, wenn die Tage zum Nachdenken zu voll waren und die Kleider sich schnell bis auf unsere Knochen abnutzten und den Dreck aufsaugten wie Schwämme. Die Frage war nicht, *was* zu tun war, wenn es zwei Stunden dauerte, um ein Essen zuzubereiten, das in fünfzehn Minuten vertilgt war, und man sich außer zwischen Rettich und Bohnen nicht groß zu entscheiden hatte. Aber die Bedeutung all dieser offensichtlichen Dinge, die blieb nach wie vor verborgen. Jeder neue Gedanke schien eine Tür zu öffnen, doch wenn der Verstand vorpreschte, um einzutreten, wurde die Tür zugeschlagen, und er stand benommen draußen. Ich hatte oft das Gefühl, ein wichtiges, erhellendes Licht zum Greifen nah vor mir zu sehen, eine Antwort auf mehr als die offensichtlichen Dinge; und dann wurde es ausgeblendet. Es musste doch einen Grund geben, dachte ich, warum wir Jahr für Jahr weitermachen sollten mit diesem Schuldenbrocken und die Erde bis aufs Gestein herunterackerten und so viel gaben und nichts dafür bekamen.

Es musste doch einen Grund geben, warum ich still, schlicht und langsam gemacht war und dann diesen Stein der Liebe zu knabbern bekam. Die Liebe *war* ein Stein!

Und auf einmal wünschte ich bei Gott, Grant wäre niemals hierhergekommen.

3

Der Juni schleppte sich bei schwerer Hitze dahin. Ab sieben in der Frühe waren die Vögel so still wie am Mittag, und die Sonne lag wie ein Gewicht aus Feuer auf den Blättern. Regen kam überhaupt keiner. Blattläuse töteten die meisten Rettiche, bedeckten sie mit einer so dicken Schicht, dass keine Blätter mehr zu sehen waren, und klebten schwarz auf den Salatköpfen. So vieles ging ein, dass ich mich fragte, woher all die Arbeit kam, die trotzdem noch zu tun war.

Gerüchte von Streiks gingen um, von Versammlungen in Carton und unten am Fluss. Und dann schlichen sich die Unruhen näher heran, breiteten sich wie eine langsame Flut über die Farmen um uns herum aus, bis selbst Vater Wind davon bekam. Grant ging abends zu Versammlungen oben in der Schule und kam aufgeregt, aber keineswegs überzeugt zurück. Er wollte Vater bewegen, selbst hinzugehen und zuzuhören, aber Dad sagte immer nur, er habe keine Zeit. »Geh du«, sagte er. »Du kannst mir davon erzählen. Ich hab keine Zeit.«

Dann sagte Grant ihm eines Abends, dass er am nächsten Morgen die Milch zurückhalten müsse, und Vater wurde ärgerlich und verstand es nicht. »Wer sagt das?«, rief er. »Wieso soll ich das wenige verlieren, was ich noch habe? Wovon sollen wir dann leben?«

»Von der Hoffnung, denke ich«, sagte Grant. »Ein Opfer für die Zukunft nennen sie es.«

»Ein verdammt großes Opfer für die Zukunft«, sagte Vater. »Ich kann's mir nicht leisten, auf eine bloße Chance zu wetten.«

»Ich weiß«, sagte Grant. Er sprach leise und geduldig. »Aber Sie müssen es trotzdem tun. Wenn nicht, werden die andern die Milch wegschütten. Sie hätten gestern Abend kommen und sagen sollen, was Sie zu sagen haben. Jetzt ist es zu spät.«

»Was, wenn es die Preise wirklich hochtreibt?«, warf Mutter ein. »Wir bekommen mehr, und jemand anders bezahlt mehr. Wo ist da der Sinn?«

»Es gibt keinen«, sagte Merle. »Aber wir müssen jetzt an uns denken. Irgendwer muss ja zahlen.«

»Was soll ich mit vierhundert Litern machen?«, wollte Vater wissen. »Können wir Milch essen? Milch lesen? Milch anziehen? Nicht mal die Schweine können so viel trinken!«

Aber es führte kein Weg daran vorbei, wir mussten die ganze Milch behalten. Selbst wenn wir versucht hätten, uns den anderen nicht anzuschließen, wäre es zwecklos gewesen. Sie standen alle an den Straßen und schütteten Tausende Liter in die Gräben. »Der Ruf eines Einzelnen reicht nicht«, sagte Grant. »Wir müssen alle zusammen brüllen. Das Ganze bringt nichts, wenn sich jetzt irgendwer raushält.«

»Dann verschenkt sie«, sagte Mutter. »Verteilt sie an die Leute. Davon dürfen sie euch doch nicht abhalten!«

Ich fand es schrecklich, zu sehen, wie all die Milch in Wannen und Fässern stand und die Schweinetröge überschwemmte und binnen eines Nachmittags sauer wurde. Es machte mich fast krank, dass Vater jeden Abend die Kühe zurücktrieb und stundenlang melkte, nur um die Milch dann den Schweinen hinzuschütten. Grant konnte es auch nicht ertragen, und am zweiten Tag stapelte er die Kannen auf einen Wagen und sagte, er werde sie verschenken. »Bring sie irgendwo hin, egal«, sagte Vater halb von Sinnen von all der Verschwendung und Sorge.

Grant fuhr los, und als er zurückkam, waren die Kannen leer, und einige hatten tiefe Beulen an der Seite. Vater half ihm, sie herunterzuheben, und schüttelte wegen der ramponierten Stellen verwirrt den Kopf. »Was ist passiert?«, fragte er. »Wer hat das mit meinen Kannen gemacht?« Er fuhr mit dem Finger an ihnen entlang, als wären sie lebendig.

»Ich habe die Milch in der Stadt verschenkt«, sagte Grant. »Alle außer den fünfunddreißig Litern, die Rathman ausgekippt hat, bevor ich ihm den Schädel einschlagen konnte, was ich am liebsten getan hätte. ›Du vermasselst noch den Streik!‹, hat er immer wieder gerufen und einen Lärm gemacht, dass er nichts von dem hören konnte, was ich sagte.«

»Max hat einen Kopf wie eine Kanonenkugel«, sagte Merle. »Wie hast du da überhaupt Wörter reingekriegt?«

»Ich habe ihn in den Wagen geschoben und mitgenommen«, sagte Grant. Er lachte, aber er wirkte müde und besorgt.

»Wie soll das alles enden?«, wollte Vater wissen. »Was haben wir für eine Chance?«

»Ich weiß es nicht«, antwortete Grant. »Hedden ist gerade in der Molkerei. Um ihnen zu sagen, dass wir ewig aushalten können. Er ist selbst bitterarm, und wenn er nichts verkauft, hat er nichts zu essen. Wir müssen ihm was leihen, bis es vorbei ist.«

»Wer ist *wir*?«, rief Vater. »Was haben wir zu geben?«

Grant wusste, dass es keinen Sinn hatte zu diskutieren, und wusste auch, dass Vater zu gegebener Zeit helfen würde wie alle anderen, also ließ er von ihm ab. »Wenn wir verlieren«, sagte er, »haben wir immerhin Radau gemacht. Das wird für jemand anders später eine gute Hilfe sein.«

»Die Zukunft!«, murmelte Vater vor sich hin. »Irgendwann anders! Irgendwer anders! Gibt's denn kein *Jetzt* für uns?«

Grant stapelte die Kannen und schloss das Gatter. »Aller Anfang ist schwer, auch beim Pflügen«, sagte er. »Macht manchmal die Schar kaputt. Vielleicht haben wir was von der Ernte, vielleicht auch nicht.« Er wusste, dass es nicht viel Hoffnung gab.

4

Ob der Streik gewonnen oder verloren war, wusste niemand je mit Sicherheit zu sagen. Die Preise stiegen um einen Cent, und wir fingen wieder an zu verkaufen, mussten aber eine weitere Abgabe zahlen, und eine veränderte Staffelung machte den leichten Anstieg zunichte. Die stille, verdeckte Art, wie das vor sich ging, trieb Grant zur hilflosen Raserei, während Vater nicht ganz begreifen konnte, was passiert war, bis er am Monatsende seine Buchhaltung machte und das Loch sah, das dieser dreitägige Streik auf der Seite hinterlassen hatte. Und trotzdem blieb er bis Mitternacht auf und ging die Zahlen wieder und wieder durch, bis der Ölpegel so niedrig war, dass der Docht nicht mehr brennen wollte und er vor Müdigkeit sowieso nichts mehr sehen konnte.

Von da an schien er Grant weniger zu vertrauen, und die Dinge zwischen ihnen begannen schiefzulaufen.

Die Tage vergingen alle ähnlich. Nah am Boden war vieles noch grün, und die Scheinastern hatten noch Kraft. Die Sonne kam morgens durch einen grauen Schleier und stieg dann rot und triumphierend höher, um die Erde ein weiteres Mal zu kochen. Bald betrachtete ich ihr gewaltiges gleißendes Auge mit tumbem, hilflosem Hass und fürchtete den Morgen, aber es gab auch kleine friedliche Phasen und manchmal ein paar Stunden Kühle. Sonntags ließ Vater seine Arbeit ruhen – das heißt das Pflügen und Heuen, sofern es nicht nötig war. Er molk nur und machte die Milchkammer sauber, was den ganzen Morgen in Anspruch nahm, und um vier musste er die Kühe wieder zurückholen. »Was für ein Ruhetag!«, sagte Merle. Sie selbst arbeitete genauso viel, schaffte es aber, sich den Nachmittag frei zu halten, und oft liefen wir dann über die Weiden rauf zur alten Borden-Kirche mit ihrem Friedhof, der jetzt zum Grasen für die Schafe genutzt wurde. Gottesdienste wurden dort nicht mehr abgehalten. Nicht einmal einen Sonntag im Monat konnte sich die Gemeinde leisten. Niemand kam, außer wenn Beerdigungen stattfanden und ein neues Grab ausgehoben werden musste. Ich setzte mich draußen auf die Stufen, während Merle auf der alten Orgel spielte, so wie Kerrin es getan hatte, als wir klein waren. Ich fragte mich ab und zu, ob ich je Antworten auf all das finden würde, was mich bei unserem einzigen Kirchgang vor zehn Jahren umgetrieben hatte.

Früher war der Pfarrer einmal im Monat zum Predigen gekommen, und nach unserem Umzug hierher aufs Land hatte Mutter ein ganzes Jahr lang hingehen und ihn hören wollen, doch immer schien es etwas anderes zu geben, was getan werden musste – immer ein Kalb oder ein Essen oder Einweckobst, das nicht warten konnte –, als wäre die Farm ein quengeliger kranker alter Mann, der stündlich nach Aufmerksamkeit jammerte. Eines Tages im Juni jedoch, ein Jahr und drei Monate nach unserer Ankunft, schafften wir es endlich. Mutters Kirchenkleid war verblichen und ihr etwas zu groß geworden, aber wir fanden es schön und würdevoll wegen der Ärmel, die vorn ein paar welke Plisseefalten hatten. Vater weigerte sich mitzukommen, saß mit der Sonntagszeitung in der Hand auf der Veranda und schaute uns nach. Er sah zusammengesunken und müde aus und tat, als fände er es anstößig, dass wir ohne einen Mann in die Kirche gingen. »Ihr Kinder benehmt euch«, war alles, was er sagte, dann wanderte sein Blick über unsere Köpfe hinweg zu einem Falken. Aber

Mutters Gesicht hatte einen leuchtenden, erwartungsvollen Ausdruck, als kniete sie bereits in der Kirche.

Ackerhonigklee und Wildrosen standen radnabenhoch auf den Wegen und versprühten ihren Duft im Staub. Es war ein warmer Tag, und als wir die Straße entlanggingen, schien es, als flögen Lerchen von jedem Pfahl auf, singend und gelbbrüstig. Die Felder waren von Gänseblümchen überflutet und weiß vor Schafgarben. Ein Tag, fast zu satt, fast zu reich an Geißblatt. Als wir ankamen, war die Kirche schon voll und der Vorplatz von etlichen Wagen und alten Einspännern zerstampft. Wir gingen hinein, ohne mit irgendwem zu reden, nur Kerrin sagte, in der Kirche rieche es muffig, und lungerte draußen vor der Tür herum, ich glaube, sie hoffte, irgendein junger Bursche würde sie ansprechen. Doch die scharten sich alle hinten bei den Pferden, wie ein Schwarm schlaksiger Reiher. Die Frauen beobachteten sie, wie sie da so allein herumstand, und nach einer Weile kam sie herein und setzte sich hinten hin, als gehörte sie zu einer anderen Familie und nicht zu uns.

Merle schaute zur Orgel mit ihrer schäbigen vertrauten Fassade und flüsterte, sie komme ihr anders vor, kirchlicher und sittsamer, demutsvoller, als wenn Kerrin sie gespielt habe. Sie hatte sich oft spätnachmittags oder frühmorgens hergeschlichen und war durch die unverschlossenen Fenster hineingeklettert. Merle und ich waren manchmal mitgekommen und hatten auf den Grabsteinen oder der Treppe gesessen, während sie uns wilde Hymnen oder eigenartigen, undefinierbaren Jazz vorspielte und die armen alten Pfeifen von unchristlichen, heidnischen Klängen erzittern ließ. Manchmal spazierten wir herum und versuchten, die Grabinschriften zu entziffern, und einmal fanden wir eine Heuschrecke auf dem verwitterten Stein der Boggs, die ihren weichen, dick gefressenen Leib über die Namen schleppte und Halt suchte, um sich zu befreien und den dünnen Rest ihrer Hülle abzuwerfen. Orangefarbene Lilien und Rudbeckien wucherten zwischen den Gräbern, doch jeden Sonntag, bevor der Pfarrer kam, wurden sie alle geschnitten und die Gräber auf ansehnliche Gepflegtheit zurückgestutzt. Wenn die Orgel müde wurde und ihr Atem zu asthmatisch, kam Kerrin heraus und ging, in der Sonne vor uns herschreitend wie eine Heilige mit rotem Glorienschein, nach Hause. Wir mussten nicht mit ihr kommen und gehen, wann immer es ihr beliebte, aber wir taten es trotzdem aus unbestimmtem Respekt vor allen – zumindest an Jahren – Älteren. Wir waren oft hier gewesen und hatten sie ungestüme, selbst erfundene Stücke spielen hören, die wie einander anschreiende Hexen klangen, aber dies war das erste Mal, dass wir die Kirche zusammen mit anderen Menschen durch den Haupteingang betreten hatten.

Ich schaute zu den Männern hinüber und fragte mich, ob sie mich bemerken würden, dabei wusste ich ja, dass ich einfach gestrickt aussah, von der Sorte, auf die das Auge fiel, ohne gesehen zu werden, und betastete immer wieder meinen Hinterkopf aus Sorge, die Zopfenden könnten sich gelöst haben. Ich fragte mich, warum die Leute hierherkamen und ob Gott hier war, und schon war der Zweifel zurück – jener Zweifel, der wie ein getunnelter Strom in mir floss, schon früher in unvorhergesehenen und unerwünschten Momenten zutage getreten war und in all den Jahren danach weitergeflossen ist. Warum waren sie hier, und glaubten sie, was sie hörten, und lebten sie überhaupt danach? All das verwunderte mich und setzte mir mehr zu als der Pfarrer, ein dummer, ernster kleiner Mann. »Die Sünde«, rief er, »ist die Ursache alles Bösen in der Welt. Die Sünde ist etwas Niederträchtiges. Betet, von der Sünde erlöst zu werden!« Und eine Stunde lang sagte er mit anderen Worten und auf andere Weise immer wieder das Gleiche, ohne auszuführen, was dieses Böse sein könnte. Als mir schließlich klar wurde, dass er es uns nie sagen würde – entweder weil er es nicht wusste oder weil er dachte, es würde zu lange dauern –, begann ich mich umzuschauen und über die Leute nachzudenken und mir zu überlegen, ob es in dem, was ich von ihrem Leben wusste und gehört hatte, irgendeinen Plan oder ein Muster gab, das erklären könnte, warum sie hier waren.

Ich blickte auf den Rücken der alten Vigney Hickam, ihr grünes, über den Schulterblättern spannendes Kleid und die straff bis zum Hut hochgezerrten Haare. Ich fragte mich, ob das, was der Pfarrer sagte, irgendeine Bedeutung haben könnte für sie, eine unverheiratete bejahrte Frau, die zusammen mit der alten Mrs. Hickam abseits der Hauptstraße lebte und, selbst wenn sie es gewollt hätte, gar keine Chance hatte, etwas Böses zu tun. Abgesehen vielleicht vom Mähen des Zaunstreifens und Unterpflügen des Phlox, aber ich bezweifelte, dass der Pfarrer darin erwähnenswerte Sünden gesehen hätte, schließlich waren sie weniger schillernd als Ehebruch und Unzucht.

Joe Rathman und seine Frau waren da, der alte Mann, in seinem weiten schwarzen Anzug verloren wie ein urzeitlicher Gnom, sah nicht so aus, als ob er auch nur ein Wort von dem hörte, was gesagt wurde. Saß wahrscheinlich geduldig und ergeben da, weil er sein Leben lang einmal im Monat geduldig und ergeben dagesessen hatte, und nutzte die Stunde, um seine Hühner-Ersparnisse auszurechnen. Die drei Rathman-Söhne kamen nie – große, rindsfleischig aussehende Jungs, von denen sogar Vater Aaron als den besten bezeichnet hatte, und Mrs. Rathman sprach sowieso immer nur von Aaron. Dass sie nicht da waren, gab mir mehr zu rätseln und zu denken auf, als wenn sie gekommen wären und wie die Ochsen in einer Reihe gesessen hätten. Aaron war anders als der Rest, sein Gesicht hatte mehr Kontur und die Wand zwischen ihm und seinen Gefühlen war weniger dick. Er sah, dass die Dinge nicht immer nur schwarz oder weiß waren, sondern dass es Schattierungen gab.

Ich betrachtete Miss Amy Meister, deren Bruder aus dem Krieg zurückgekehrt war und in einem seiner Tobsuchtsanfälle den Vater getötet hatte, und trotzdem lebte sie ihr Leben so weiter wie vorher, züchtete Bienen, verkaufte jeden Herbst große gelbe Waben und wusste mehr über das Böse und den Tod, als der Pfarrer in all seinen achtzig Jahren je geträumt hatte. Dennoch saß sie da und lauschte wie ein Kind, während er von dieser gestaltlosen Sünde redete. Da war Stella Darden, die einen Pachtbauern geheiratet hatte und mit dessen vierzehn Verwandten in einem Schuppen wohnte, der aus einem einzigen Raum bestand, nicht größer als zwei Plumpsklos, und im Winter von nichts als ihrer eigenen Körperwärme geheizt wurde, hatte Aaron erzählt. Da war Leon Kind, dessen Sohn ihn verlassen hatte und fortgegangen war, weil er das Schweigen nicht ertrug, das Leon wahrte, seit seine Frau gestorben war … Und dann betrachtete ich Mutter, wie sie dasaß und still zuhörte, aber mehr so, als feierte sie im Innern ihr eigenes Abendmahl, speiste und tränkte einen Glauben, für den die Orgel, die Kirche und der Pfarrer nur Symbol und Kulisse waren. Sie lauschte, um den Klang des Glaubens in seiner Stimme zu hören, nicht den Worten, die wenig oder nichts bedeuteten. Ich wollte glauben können wie sie, still, felsenfest, ohne die Vernunft einzuschalten oder jenseits der Vernunft, schien ihr Glaube doch genauso zu ihr zu gehören wie ihre Hände oder ihr Gesicht. Aber ich konnte es einfach nicht. Es war, als wäre der Glaube einem angeboren, wie die

Hautfarbe, die Augen oder die Arme, und könnte auf keine andere Art erlangt werden.

Als der Moment für das Abendmahl kam, freuten wir uns, Merle und ich, auf die kleinen Becher und Brösel und fragten uns, ob es Holunderbeerwein oder Wilden Wein geben würde; und in Mutters Gesicht war ein andächtiges, helles Leuchten, eine mystische Vorfreude, als wäre sie Welten entfernt. Doch bevor es losging, sahen wir, dass der Diakon den Gang entlanggeschlichen kam, auf Mutter zu, worauf sich alle Köpfe gleichzeitig umdrehten, wie von einer großen Schnur langsam von hinten gezogen. Er beugte sich vor und flüsterte hinter vorgehaltener Hand. »Sie müssen jetzt gehen, Sie gehören nicht zur Kirche. Nur Kirchenmitglieder feiern das Abendmahl.« Mutter starrte ihn verständnislos an und fummelte an ihrer Handtasche herum. »Sie müssen jetzt gehen«, sagte er lauter, und Kerrin boxte Mutter gegen den Arm. »Dann lass sie ihren alten Krautsaft doch behalten!«, murmelte sie und erhob sich. Mutter sagte: »Oh, ich verstehe«, und stand schnell auf, nervös mit dem Kopf nickend, wie es typisch für sie war, um ihm das Gefühl zu geben, dass er sie nicht gekränkt hatte. Die Leute starrten uns an, neugierig und ausdruckslos, und der Haufen weißer Gänseblümchen auf Vigneys Kopf zitterte. Wir gingen alle hintereinander durch den Mittelgang, und Kerrin versuchte, die Tür zuzuknallen, aber sie schwang bloß weich zurück. Man hörte nur noch die Orgel keuchen: *In der Welt der Sünde, wo ist wahre Ruh? Aus dem Blut des Heilands fließt dir Frieden zu.*

Wir standen draußen und schauten uns an, hinter uns die blinde weiße Tür. Ich begann zu kichern, und Mutter lächelte, sah aber aus, als hätte sie etwas Unersetzliches verloren und wäre mit einem Ruck und leeren Händen ins Leben zurückgezerrt worden. Plötzlich riss Kerrin, bevor wir sie aufhalten konnten, einen Grasklumpen aus der Erde und schmierte damit einen kreuzförmigen Schmutzfleck an die Tür. »Das ist für das Pack da drinnen!«, sagte sie. »Verwurmte alte Hickoryhülsen!« Mutter war halb außer sich vor Entsetzen und versuchte, es mit ihrem Unterrock wegzuwischen, erreichte damit aber nur, dass die Form nicht mehr erkennbar war und ein graues Geschmier übrig blieb. Es war kein Wasser in der Nähe, und Merle versuchte es mit Spucke, doch es half alles nichts, und dann hörte die Orgel auf zu schnaufen, und wir hatten Angst, dass jemand herauskommen und uns spucken und schrubben sehen würde, also gingen wir schnell in Richtung Straße, Mutter zerstreut und erhitzt von der Sonne und Kerrin erhobenen Hauptes vor uns herschreitend, als ob sie uns nicht kennte oder nicht zu uns gehörte.

»Was haben wir denn getan?«, fragte Merle immer wieder. »Warum sind wir anders als andere Leute?« Um uns herum wirbelte Staub in heißen Wolken auf, und die Sonne war ein Dörrfeuer, und niemand wollte ihr antworten, noch hätten wir gewusst, was die Antwort war.

Jetzt mehr denn je, als ich dasaß und Merle spielen hörte und mich an jenen anderen Sonntag erinnerte, wünschte ich, dass ich die Gründe wüsste. Und wünschte mir mehr noch etwas außerhalb meiner selbst. Einen Glauben allerdings, der dem Leben *passen* würde, anstatt es nur zu verbergen. Es gab so vieles, was ich gern geglaubt hätte. Ich hätte gern geglaubt, dass alles, was auf uns zukommen mochte, gerecht war, und hätte gern wie Wally Huttons Frau mit fromm zum Himmel erhobenen Augen sagen können: »Der Herr hat's gegeben, und der Herr hat's genommen«, als sie ihr siebentes Kind begrub wie einen Knochen für das Fest der Auferstehung. Es wäre leichter, das

Unvermeidliche und Gerechte zu ertragen, wenn es keinen Ausweg gäbe. Aber wir haben doch sicher das Recht, dachte ich, das Leben voll auszukosten wie jeder andere! Sind wir und die um uns herum – die Ramseys und Huttons und Meisters und so weiter – denn schlechter als Menschen, die keine Angst kennen, kein Sumpfloch zu füllen haben, kein Spielball sind von Dürre und Frost? Warum wurde es uns bestimmt, derart eingeschränkt zu sein? Vielleicht, wenn wir von allem abgeschnitten gewesen wären und nie etwas von jenen seltenen, in Sicherheit lebenden Menschen gesehen und gehört hätten, denen es an nichts mangelte, vielleicht hätten wir dann anfangen können, Gott die Schuld zu geben, und unseren Frieden gefunden. Wissen ist ein zweischneidiges Messer, ganz Klinge, ohne einen Schaft, mit dem sein Besitzer zustechen könnte.

Doch letztlich lief alles auf das Gleiche hinaus, und ich wusste, dass kein Gesetz und kein Plan und kein Ende der Schulden mir das eine geben könnte, das ich mir mehr wünschte als alles andere, dass kein Gesetz der Welt Grant dazu bringen könnte, mich zu lieben.

5

Als es Juli wurde, war der halbe Mais eingegangen und flatterte auf den Feldern wie brüchiges Papier. Die Weiden verbrannten zu Schlacke. Einmal stolperte ich im Wald, und die Asche aus trockenem Laub flog hoch wie Staub. Die Milch vertrocknete in den Kühen. Die Preise stiegen, wie wir wieder hörten, aber Dad bekam für seine Milch nicht mehr als sonst und weniger für die Kühe, die er verkaufte, weil fast alle anderen Farmer ihre auch verscherbelten. Die Bäche waren da schon karge Felsbetten, heiße Steine, die ein Zittern in die Luft sandten. Die Teiche aufgerissene, mit trocknendem Schlamm überzogene Löcher. Ständig hörte ich die Kälber auf der Weide schreien, weil ihnen zu heiß war und sie Durst hatten, ich ihnen aber nur abends Wasser geben konnte. Wir mussten es aus einem fünf Kilometer entfernten Teich holen, und die Pferde bekamen wunde Stellen, obwohl wir uns Ramseys Maultiere ausliehen, um ihnen Pausen zu gönnen. Die Hitze war so, als hätte man Tag und Nacht eine Hand auf dem Gesicht. Als schließlich alles tot war, dachte ich, wir wären von der Hoffnung erlöst, doch die Hoffnung ist eine Obsession, die niemals stirbt. Vielleicht werden die Teiche sich wieder füllen … die Herbstweiden könnten im Regen zurückkommen … die Zisterne wieder voll werden … Immer noch war da diese furchtbare Qual der Hoffnung, die nur mit dem Leben vergehen würde.

Einzig Merle schien die Hitze nichts auszumachen. Sie arbeitete mit Grant und Dad auf den Feldern und war tief, fast glühend gebräunt. Ich bemerkte, dass sie in jenen Tagen stiller wurde, nicht von dem, was Kerrin aufzehrte, sie ausmergelte wie schwarzer Talg: aber irgendetwas hatte begonnen, ihr die Milde zu nehmen. Eine Art Angst und Verantwortungsgefühl. Sie versuchte, Grant zu meiden, und sprach mit einer eigenartigen Mischung aus Zaghaftigkeit und Freimut mit ihm. Er tat mir leid, und ich fragte mich, ob er jetzt, wie vorher ich, die Taubheit jener Geduld kennenlernte, die nur möglich wurde, indem man blind allen Zweifel von sich schob. Er beklagte sich nie, und manchmal wünschte ich, er würde mehr sagen. Schimpfen oder fluchen. Sein Schweigen wirkte wie ein Schutzwall gegen eine steigende Flut.

Still und matt, wie ich war, achtete ich mehr auf Grant als die anderen, und manchmal schien er sogar mitten im Reden Jahre von uns entfernt und in sich zurückgezogen. Er war immer freundlich, scherzte mit uns und lobte das Essen und bat manchmal um etwas Spezielles – Reisbällchen oder Reibekuchen mit Sauce. Doch obwohl wir Tag für Tag mit ihm zusammenlebten und die banalsten Dinge miteinander teilen mussten, wirkte er unnahbar und ernst und hatte eine Würde an sich, die ich liebte.

Einmal ging mir plötzlich auf, ohne Grund, aber mit einer Gewissheit, die nichts erschüttern oder ändern konnte, dass weder Mutter noch Grant zu irgendjemandem aufschauten, irgendwen beneideten. Das war nicht etwa Hochmut oder das Gefühl, anders zu sein. Überhaupt nicht. Sondern eine Art Glaube an die Würde des menschlichen Geistes. Ich stammle nur bei dem Versuch, es zu erklären. Es ist nichts, was sich in kleinen Buchstaben einfangen und Kindern vorlesen lässt. Ich wusste nur, dass es da war und sie eine Spur über uns erhob und dass sie nie kleinlich oder gar lächerlich waren, obwohl auch sie sich oft durchaus irrten, denke ich.

Nach einer Weile hatten wir weniger zu tun, weil im Garten so viel eingegangen war und der Boden zu hart zum Pflügen. Abends, wenn es zu heiß zum Schlafen und zu dunkel zum Lesen oder Arbeiten war, saßen wir draußen und unterhielten uns. Es gab nicht viel Neues zu lesen, selbst wenn wir genug Licht gehabt hätten. Merle beklagte sich nie, sondern nahm sich wieder und wieder alle alten Bücher vor und behauptete, sie seien beim vierten Lesen noch besser als beim dritten. Nur einmal bekam ich einen entnervten Ausbruch von ihr mit und sah sie irgendein fettfleckiges Buch über vergangene Schlachten in die Ecke werfen. »In Gottes Namen!«, rief sie. »Wieso können wir uns nichts besorgen, das nach dem Tod der Propheten geschrieben wurde! Irgendwas, was nicht nach Adam schmeckt. Ich möchte wissen, was die Menschen *jetzt* sagen!«

»Das Gleiche, was sie immer gesagt haben, nehme ich an«, sagte Mutter. »Nur dass sie vielleicht jetzt eine neue *Art* haben, es zu sagen.«

»Eine neue Art könnte ja schon ein bisschen helfen«, hatte Merle da geantwortet. Sie sah müder aus, als ich sie je zuvor gesehen hatte, nahm das Buch nicht wieder zur Hand und lächelte auch nicht. »Es geht doch nicht an, so darben zu müssen, von Gott oder was auch immer in Kisten mit der Aufschrift ›Extra klein‹ gezwängt zu werden! Wir können nicht im Dunkeln wachsen wie Schimmelpilze. Wenn ich denken würde, dass es immer so bleibt, dann −« Sie beendete den Satz nicht, sondern saß da und trommelte hilflos mit den Fingern. Schließlich wusste sie, dass es wenig Zweck hatte, herumzubrüllen.

An diesen Abenden, wenn wir im Dunkeln saßen und uns unterhielten, versuchte sie, Grant auszuquetschen, ihm alles zu entlocken, was er wusste oder je gehört, gelesen, gesehen hatte. »Wie sahen die Leute da aus?«, fragte sie ihn.

»Was haben sie gesagt? Was haben sie gelesen? … Wenn der Mann gewonnen hatte, warum haben sie ihm den Preis nicht gegeben? Weil sein Name nichts bedeutete! Sein Name! Das ist merkwürdig. Das ist schwer zu verstehen … Also, was hat er gesagt? Was hat er für ein Gesicht gemacht? Wie nimmt jemand so eine Ungerechtigkeit? ›Schwer nimmt er sie und stumm. Wie ein Stein‹, sagst du! Das geht doch nicht; das geht überhaupt nicht! Ein Mann sollte brüllen, nicht leiden und stumm bleiben! … Und was hatten sie an, als es so weit war? Keine Farbe? Keine Roben? Schwarz! Nur schwarz! Wer würde denn Schwarz tragen, wenn er das Geld für Rot hätte? Du lieber Gott, da könnte man ja ebenso gut gar kein Geld besitzen! Könnte ebenso gut ein Milchbauer sein! … Was gab es zu essen, und wie haben sie es zubereitet? War es Fleisch? Oder Fisch oder was sonst? Du weißt es nicht mehr? Du hast schon vergessen, was es zu essen gab? Du bist ja schlimmer als ein halb geschwärztes Buch. Man sollte sich an alles erinnern, was man sieht. Ein gewaltiger Schwamm sollte man sein!«

»Lass ihn in Ruhe«, sagte Vater dann schließlich. »Bist du denn nie zufrieden, Merle?«

Doch Merle hatte ihre Antwort schon parat. »Nicht, bevor ich nicht taub, stumm und blind bin«, sagte sie triumphierend. »Nicht, bevor ich nicht unter den Mais gepflügt wurde!«

Grant jedoch beantwortete ihre Fragen immer gern und saß ruhig da, mit dem Rücken an die wackligen Säulen gelehnt, und versuchte, all die anderen Jahre seines Lebens noch einmal in Worten nachzuvollziehen. Ich glaube, wenn es möglich gewesen wäre, hätte er sich an die Farbe des Himmels an diesem und jenem Tag erinnert und an den Namen des Bahnwärters in jeder Stadt, durch die er gekommen war. Um Merle zu gefallen, versuchte er, alle Legenden oder Geschichten auszugraben, die er je gelesen hatte, und manchmal traf ich ihn allein an, die Hand selbstvergessen auf einem halb geöffneten Gatter, während er sein Gedächtnis nach Namen und Orten irgendeiner Erinnerung durchforstete, die von einem jähen Geräusch oder Geruch zurückgebracht worden oder durch ein unbedeutendes Wort wiederaufgetaucht war.

Kerrin gesellte sich an diesen Abenden zu uns und lag halb schlafend im Schatten der Veranda; manchmal ohne ein Wort zu sagen, an anderen Abenden auf ihre schrille Art erregt. Dann unterbrach sie Grant und erzählte uns Dinge, die sie auf den umliegenden Farmen aufgeschnappt hatte. Halb wahre und halb erfundene Skandale, etwa dass der alte Leon Kind, der wunderlich geworden sei, seinen sterbenden Garten mit Milch gegossen hätte – vierzig noch warme Liter habe er aus Kübeln auf seine verschrumpelten Bohnen gekippt. Oder dass sie um Mitternacht in Miss Vigneys Gasse ein Licht habe entlangwandern sehen und bei der Dame, die nach Einbruch der Dunkelheit nie wach blieb, weil sie fürchtete, das Öl und die Kerzen aufzubrauchen, etwas Brennendes im Fenster gestanden habe und auf dem Rouleau sei ihr Schatten zu erkennen gewesen. All das sei wahr, schwor sie uns: Sie habe es von jemandem gehört, der es wisse, es selbst gesehen habe. In ihrer Art der Nacherzählung wirkte alles seltsam und unheimlich und leicht anstößig. Wenn sie von einem Tod oder Unfall hörte, fand sie keine Ruhe, bevor sie nicht jeden Umstand des Hergangs kannte. Und irgendwie entstand aus ihren Worten ein Bild von Rastlosigkeit und Angst, die sich ausdehnte und auf alle Farmen erstreckten. Armut gebar Angst, und Angst führte zu Hass und Hass zu hinterhältiger Gewalt und manchmal zu Wahnsinn oder Tod. Über die Geduld, von der wir doch wussten, dass es sie gab, ging sie hinweg und sprach nie von vernünftigerem Planen, das mit der Zeit unser ganzes geschrumpftes Leben verändern könnte.

Ich war froh über diese Abende, sogar die, an denen Kerrin so schnell und halb ghulisch auf uns einredete. Sie hielten mich vom Schlaf ab, und im Schlaf träumte ich zu viel. Die Träume waren immer gleich, weder so seltsam oder schön wie Merles noch so schrecklich wie ihre, sondern eintönig und wahr. Sie waren nichts weiter als ein Wiedererleben der Tage, nur dass die stummen Sehnsüchte und Ängste laut ausgesprochen und so erfahren wurden, wie es im Leben auch hätte sein können. Nie war in diesen Träumen der Moment des Glücks ganz vollständig oder der Punkt des Irrsinns oder Schmerzes ganz erreicht. Sie endeten immer genau an der Grenze zu irgendeinem großen Übel oder ekstatischen Erlebnis, und wenn ich aufwachte, war mir heiß und kalt und mein Körper steif wie der einer Toten, und ich sah, wie Vater sich im frühen Licht den Flur entlangtastete.

Einen Traum aber gab es, der anders war als die meisten und mir tagelang lebhaft im Gedächtnis blieb. Ich stand allein am Fuß der Weidehügel und konnte Grant über das ausgedörrte Bachbett auf mich zukommen sehen, und überall um uns herum war das Gras bis an den Rand verbrannt. Ich sah ihn deutlich und wusste, dass es Grant war, aber sein Gesicht war verschwommen, und obwohl ich meine Augen anstrengte und zu ihm hochschaute, als er bei mir angekommen war, konnte ich sein Gesicht nicht erkennen. »Bist du's, Marget?«, fragte er. »Ist Merle fort?« Er sprach, als wäre er blind und erkenne mich nicht. »Sie ist hier«, sagte ich. »Sie ist immer hier. Und wird es immer bleiben, glaube ich.« »Ich sehe sie nicht«, sagte Grant. »Hier sind nur Steine und Schafspuren im Staub.« Ich blickte mich um und sah sie auch nirgends, aber ich sagte ihm, sie sei hier, bei den Steinen, oder nur kurz woanders hingegangen. Da brach Grant wieder auf und sagte, es habe keinen Sinn, dass er warte. »Bleib du hier«, sagte er. »Nimm alles. Akzeptiere und nimm alles. Nimm es und verschließe es fest in dir.« Ich streckte die Hand aus, um ihn aufzuhalten. »Was soll ich nehmen?«, fragte ich. Da drehte er sich um und kam zurück, und ich konnte sehen, dass seine Hände geöffnet waren und er mich direkt anschaute. Einen Moment lang sah ich sein Gesicht so deutlich, als schiene die Mittagssonne darauf. Dann wachte ich auf, und das Haus war still wie ein Grab, dunkel und still, und nur ein Hund bellte in weiter Ferne.

Das war so real gewesen, dass ich Grant den ganzen Tag danach fragen wollte, was es war, was er nicht zu Ende gebracht hatte, und eine Weile noch schien die Seltsamkeit des Traumes selbst an ihm zu haften. Ich hatte das Gefühl, ihn jetzt auf eine Weise besser zu verstehen, als irgendwer sonst es je getan hatte, und eine Zeit lang war es schön, mir das einzureden.

6

Die Dürre dauerte an. Bäume verkümmerten, das Gras wurde zu Heu, selbst die Unkräuter zerfielen zu Asche, und die großen Bäume, deren Wurzeln fünfzig Jahre unter der Erde waren, vertrockneten. Die Kletten und Kornraden in der Nähe des leeren Bachbetts waren grün, aber die riesigen Ulmen begannen zu sterben. Die Limabohnen gingen ein mit Läusen auf ihren Blüten, Winden strangulierten die Stangenbohnensträucher, und die Karotten saßen so fest, dass nichts sie aus der Erde herausbewegte.

An manchen Abenden lief ich durch die Heufelder in der Hoffnung, etwas kühlere Luft zu finden, und die Sehnsucht nach Regen wurde fast zu einem körperlichen Schmerz. Ich konnte die Gewaltigkeit von Nacht und Raum nicht mehr spüren, und jene Erfahrung, dass wir uns klein fühlen vor der Weite der Felder und Sterne, stellte sich nicht mehr ein. Ich fühlte mich immer zu groß und tollpatschig und qualvoll gegenwärtig. Ich konnte nicht schrumpfen.

Und dann eines Mittags, als wir glaubten, wir könnten es nicht länger aushalten, würden vertrocknen und aufplatzen wie die Erde, gab es plötzlich einen kalten Windstoß, und im Norden sahen wir eine enorme Wolkenbank aufsteigen. Die Luft war heiß und reglos gewesen, sturmstill und dunkel; seit knapp einer Woche bedeckten Wolken den Himmel, unheilvoll und aufbrandend, ohne sich zu entladen. Die Sonnenuntergänge waren klar und kristallen wie nach einem gewaltigen Regen, ohne dass ein einziger Tropfen gefallen wäre. Jetzt sahen wir, wie die Wolken sich auftürmten und riesigen Wellen gleich heranrollten, und hörten das Bullengrollen von Donner. Es war schnell und leise gekommen, keine Warnung außer der Ruhe, und wir standen da wie Steinblöcke und starrten. Dann rief Merle: »Er ist da!«, und rannte los wie eine Irre, und überall stachen die Blitze durch die schwarze aufkochende Masse. Dad schaute Mutter an, und ich sah die furchtbare Entlarvung seines Gesichts, als würde all die unterirdische Angst und Verzweiflung von seiner Hoffnung ans Licht gebracht, und wie ein Stromstoß durchfuhr mich Mitleid mit ihm und eine Liebe wie nie zuvor. Mutter schnappte sich einen Eimer und brachte ihn zu den Steinen, halb verrückt vor Sorge, auch nur ein Tropfen könnte verloren gehen oder irgendwo landen, wo er nicht gebraucht wurde. Wir zerrten Eimer und Töpfe nach draußen, griffen uns sogar ein paar Schüsseln und stellten sie auf die Fensterbank, und Merle nahm Grants Trinkbecher vom Nagel. Es wurde dunkler, und ein grimmiger Wind fuhr uns in die Kleider, und Merle war außer sich vor Aufregung und auch von dem kalten Rauschen der Luft. Wir sahen, wie Kerrin aus dem Stall gelaufen kam und hin und her gepeitscht wurde wie eine Weidengerte, und die Schafe ergossen sich in einer klumpigen Menge mähend und blökend auf den Weg zum Stall. Ich wollte losrennen und schreien, Flügel bekommen und flattern wie die umherschießenden Krähen. Grant sah zehn Jahre jünger aus und brüllte und schrie wie ein Junge. Wir sahen uns alle an und fühlten uns frei wie plötzlich losprasselnder strömender Regen. »Ich hol die Zuber rauf«, rief Vater. »Er kommt wirklich! Er ist da, ich sag's euch!« Er lief zur Kellertreppe, als gerade die ersten Tropfen fielen, hart aufspritzend und in weitem Abstand voneinander. Er kam mit Waschzubern wieder heraufgeschwankt, und die Tropfen schlugen auf deren Boden, ein Geräusch wie von Hämmern auf hohlem

Blech. Mutter stand da, Blumentöpfe in den Händen und ein wundervolles helles Leuchten im Gesicht, als scheine ein Licht darin, ein nahezu verzückter mystischer Ausdruck.

Diese ersten Tropfen zerstoben ein paar der toten Blätter am Rebstock und verschwanden in der Versenkung der Erde. Im Norden tat sich ein blauer Spalt auf und dehnte sich mit schrecklicher Geschwindigkeit aus. Die Gewitterwolken türmten sich hoch auf und zogen gen Süden ab. Keine Tropfen fielen mehr, und durch die Wolken drang ein langer Sonnenstrahl. Ein verbranntes, gezacktes Loch in den Wolken, durch das das Auge der Sonne blickte. Wir konnten spüren, wie der Wind schon wieder abebbte und lediglich kühlere Luft daließ. Keinen Regen.

Vaters Knie schienen unter ihm zusammenzusacken, und er ließ sich schwer auf die Treppe fallen.

»Gottes Wille geschehe!«, sagte Kerrin und brach in Gelächter aus. »Wofür sind die Fässer, Grant?«

»Um das Sonnenlicht aufzufangen«, antwortete er, »süßes Licht für die Dunkelheit zu speichern!« Er sah zornig und abgezehrt aus, mit vom Wind getrocknetem Schweiß im Gesicht und einer Schramme wie eine Blitznarbe quer über der Wange. Kerrin fing wieder an zu jubilieren und warf die Arme hoch. Es wirkte eigenartig und lächerlich, und ich bemerkte, wie dünn sie geworden war, ihr Hals wie verdrillter Draht, und der Wind schien durch ihre Knochen hindurchzuwehen. Mir wurde das Herz schwer, wenn ich sie ansah. Grant wandte sich ab und beschirmte die Augen gegen die Sonne. »Verfluchtes altes Zyklopenauge!«, murmelte er. Hasserfüllt und hilflos blickte er zum Himmel.

Die Wolken zogen davon und auseinander. Gewaltige Teile des Himmels waren klar wie Glas. Der Donner klang weit entfernt, fast unhörbar. Nicht das Geringste hatte sich verändert.

7

Christian Ramsey kam an jenem Abend zu uns. Vater lag halb schlafend auf der Veranda und hatte noch kein Wort gesprochen, seit der Sturm vorübergezogen war. Auch Kerrin sagte so gut wie nichts, beobachtete nur Grant. Es war nicht mehr kühl, der Wind schon erstickt. Ich finde es seltsam, wie viel der Geist ertragen und dabei weiter an der Hülle der Vernunft festhalten kann. Löscht zu große Angst sich selbst aus? Beendet zu viel Krankheit den Schmerz? Eine furchtbare Geduld schien über uns zu kommen, eine Taubheit, die selbst eine Art Tod war.

Christian sah im Mondschein wie ein zerlumptes Skelett aus, seine Augen und Wangenknochen waren matte weiße Flecken. Merle weckte Vater, der Ramsey anstarrte, den Mann zuerst nicht erkannte. Ich schob ihm einen Stuhl hin, aber Ramsey blieb stehen und kratzte mit einer Hand am Verandageländer. Vater richtete sich auf und spähte durch die Dunkelheit zu ihm. »Was willst du hier, Ramsey?«, fragte er mit argwöhnisch harter Stimme, die am Ende erschöpft absackte.

»Wir müssen von der Farm weg«, sagte Ramsey. Er verschleifte die Wörter zu einem nervösen Murmeln, was Vater ärgerte, weil er sich anstrengen musste, alles zu verstehen. »Bin hier, weil die Ernte futsch ist. Lucia sagt, sie ist mit Sicherheit weg. Wir dachten, diesmal gibt's Regen. Haben den ganzen Tag gewartet und dann nix.« Er zog etwas Kleines, Schrumpeliges aus der Hosentasche und hielt es hoch. »Hier, 'n Kartoffelstrunk. Sieht aber aus wie 'n vertrockneter alter Unkrautstängel!«

»Ist bei allen so«, sagte Vater. »Der Mais ist futsch. Alles kaputt. Ich kann dir nicht helfen.«

»Geht um die Pacht«, sagte Christian. »Sind ja keine Farm mehr, wenn wir nich' zahlen können. Bin jetzt 'n ganzes Jahr hinterher. Ich dachte, vielleicht könnt ihr —«

»Fürchte, da hast du falsch gedacht, Christian«, sagte Vater und kehrte ihm den Rücken zu. »Ich würd dir ja helfen, wenn ich was hätte, hab ich aber nicht. Ich komm gerade so hin, für uns selber, aber ich hab keinen Cent über.«

»Bloß geliehen«, sagte Ramsey. »Wir würden's nächstes Jahr zurückzahlen, vielleicht.« Er schien nicht glauben zu können, dass Vater sein Anliegen verstanden hatte und ihn trotzdem abwies.

»Wenn ich was hätte, würd ich's dir leihen, Ramsey«, sagte Dad knapp und müde. »Hab ich aber nicht. Das ist alles.«

»Was soll ich denn jetzt machen?«, rief Christian verzweifelt aus. »Wir können ja nirgendwo anders hin! Lucia will nirgendwo anders leben. Wir wollen hierbleiben!«

»Habt ihr Verwandte?«, fragte Vater. »Kann dir nicht irgendeiner hier in der Gegend Geld leihen?«

Ramsey starrte auf den Boden und schüttelte den Kopf. »Bin schon überall gewesen. War auch beim Amt, aber die haben gesagt, solange ich kein Essen brauch, muss ich so klarkommen.«

Dad richtete sich wieder auf und wischte sich übers Gesicht. »Tut mir leid, Ramsey«, sagte er. »Aber ich kann nichts tun.« Er stand auf und wankte ins Haus, sein gebeugter Rücken ein Erdhügel.

Ramsey blickte ihm nach. Ich war froh, dass es dunkel war und wir sein Gesicht und den entsetzlich gequälten Ausdruck, der bestimmt darauf lag, nicht sehen konnten.

Dann drehte er sich um und trollte sich, verwirrt vor sich hin redend, ein schwarzes, fassungsloses Gestammel.

Es gab nichts, was irgendjemand von uns tun konnte. Gar nichts. Dad hatte recht. Geld hatten wir keines übrig. Essen – aber mit Essen konnte man keine Pacht bezahlen. Wir hatten schon seit zwei Monaten nichts mehr eingekauft, nicht mal Einmachzucker. Ich konnte Merle weinen hören, als er gegangen war, und sogar Kerrin sah elend aus.

8

Grant ging am nächsten Morgen zu Turner, hätte sich aber seine Zeit genauso gut sparen können. »Die Ramseys sind keine guten Pächter«, sagte Turner. »Wissen nicht, wie sie das meiste aus der Farm rausholen. Jeder andere hätte es geschafft.« Als Grant erwiderte, dass niemand es in diesem Jahr geschafft hätte, lächelte er nur. »Grausam war er nicht«, sagte Grant. »Nicht so grausam wie ein Junge, der Kröten die Augen aussticht. Er hat bloß keinen klaren Kopf – seine Fantasie ist ein Hohlraum. Er ›verstand‹, er ›sah durchaus ein‹ – aber in Wirklichkeit verstand er überhaupt nichts. Ich habe gesagt: ›Sie begreifen nicht, was es für Ramsey bedeutet!‹ Gott! Ich wusste nicht, wie ich es in Worte fassen sollte, damit der alte Mann es verstand! ›Ramsey hat sein Leben lang auf dem Land gearbeitet‹, habe ich gesagt. ›Neun Kinder jetzt … keine Verwandten … kein Ort, wo er hinkönnte …‹ Aber Turner saß bloß da, ungerührt wie ein Ei, ein Stein! ›Nigger sind schlechte Pächter‹, sagte er immer wieder. ›Ein weißer Mann hätte es geschafft.‹ Da bin ich wütend geworden und habe ihn gefragt, ob er glaube, dass Schwarzsein den Regen vom Land fernhalte, aber da hat er nur gegrinst. Hat noch gesagt, er brauche die Pacht und habe ›Pläne‹. Ramsey ist nicht Teil dieser ›Pläne‹.«

»Dann müssen sie also gehen?«, fragte Mutter. »Da ist nichts mehr zu machen?«

»Nur noch der Umzug«, antwortete Grant. Bitterer, als ich ihn je zuvor erlebt hatte.

»Du hättest ihm ordentlich eins überziehen sollen,

Grant!«, sagte Merle. »Eins für mich. Du hättest so hart zuschlagen sollen, dass er nicht wieder auf die Beine kommt.«

»Der wär nicht mehr hochgekommen«, murmelte Grant griesgrämig. »Der wär zu Staub zerbröselt. Zu trockenem Schimmel.«

Für uns lag der Schrecken dieser Armut in der Angst und der Schinderei, die Geist und Seele wund und leicht infizierbar machten; für Mutter aber war das Schlimmste daran die Scham, nicht helfen zu können, mit gebundenen Händen hilflos danebenzustehen und mit anzusehen, wie das Leben andere attackierte. Und diesmal blieb uns nichts übrig, als zuzuschauen.

9

Am letzten Juliabend saßen wir still auf der Veranda, während Vater auf der Suche nach Augustniederschlägen im Almanach blätterte. Grant kam irgendwann dazu, stellte seine Kübel ab und ging zum Barometer, so wie Merle es jeden Abend machte, als wäre das kaputte alte Ding irgendwie in der Lage, Regen zu bringen, anstatt immer nur ›klar und trocken‹ anzuzeigen. Mitunter hatte sie es geschüttelt, aber der Zeiger regte sich nicht. Grant sah, dass ich ihn beobachtete, und grinste, weil er wusste, dass er ihn erst vor einer Stunde hatte nachschauen sehen, als er die Eimer holen gekommen war. »Es hätte sich was ändern können – man weiß nie«, sagte er. Er war ausgebrannt, von der Hitze ausgehöhlt, aber immer noch groß, sein Gesicht zerfurcht, die Wangenknochen breiter geworden und vorstehend, wo das Fleisch geschwunden war. »Geh an die Arbeit«, sagte er. »Schnüffle nicht anderer Leute Fehler aus! Immerhin hab ich eine Art Dunst bemerkt –« Ich wusste, dass es nur Staub war, und er wusste es auch, aber mein Verstand war zu stark geschrumpft, um mir eine Antwort einzugeben, und er erwartete keine Erwiderung mehr von mir, wie sie Merle eingefallen wäre, und tat so, als wolle er auch keine.

Er setzte sich neben mich, und wir starrten ins Grau des Tals. Nach und nach flutete ein mattes Violett dessen Wände, und die Farbe des einzigen noch übrig gebliebenen Tümpels war stumpfes Messing. Entlang der Felsvorsprünge lag noch ein spätes rotes Licht auf den Steinen. Wir saßen dort zusammen, aber Welten voneinander entfernt, seine Gedanken wie immer bei Merle, und ich wusste, ich brauchte nur zu warten und er würde etwas über sie sagen. Und ich fragte mich, ob ich in meinem Leben noch einmal frei sein würde von diesem vertrauten Schmerz, der uralt war wie das Leben – Liebe ohne Erwiderung oder Hoffnung, aber von keiner Veränderung berührt ... Er saß vornübergebeugt da, als hätte er festgestellt, wie viel schwerer der Widerstand die Dinge macht, die ohnehin unvermeidlich sind, und ich merkte ihm jene fast beschämende Erschöpfung an, die von der Hitze und nicht von der Arbeit kommt. Doch als er sich wegdrehte und aufstand, sah ich, dass ich mich geirrt hatte und all die stille Auflehnung und Anspannung noch in ihm war. Stocksteif und stumm, weigerte er sich starrsinnig, das Leben zu dessen Bedingungen zu akzeptieren und einen tristen Frieden damit zu schließen. Eine Zeit lang würde er es nehmen, wie es war – aber nicht ewig.

Eine leichte Brise kam auf, bewegte die toten Blätter eines Rebstocks – in der trockenen Stille war es beinahe kühl – und erstarb. »Die Brise kommt wieder«, sagte Dad. »Ist mehr, als die Farmer im Tal haben. Da unten in der Niederung gibt's überhaupt keinen Wind.« Er nahm den Hut ab und legte ihn auf die Treppe, wischte sich über das nasse, dünn werdende Haar und den roten Schädel, der feucht darunter durchschimmerte. Er wirkte irgendwie heiterer, wie ein Mann, der am Boden angekommen war, nachdem er so viel durchgemacht hatte, dass mehr nicht möglich schien, und nun zu hoffen begann.

Kein Geräusch war zu hören. Nur einmal in weiter Ferne, irgendwo in Rathmans Richtung, das trockene Brüllen eines durstigen Stiers. Die Brise kam wieder auf, bewegte Grants feuchtes Haar. »Die Abende sind nicht mehr so heiß«, sagte Dad. »Ist fast kalt unten am Fluss.«

»Das nächste Jahr wird anders«, sagte Mutter. »Drei Jahre

Dürre hintereinander habe ich noch nie erlebt. Der Mais dürfte bei der Knappheit mehr einbringen.«

»*Könnte* er«, sagte Dad. Nach diesen zehn Jahren war er so weit, dass er sich nicht mehr festlegte oder Vorhersagen machte. Wir sagten meistens »dürfte« oder »könnte«, selten »wird«. Dennoch war da eine Hoffnung, wenn auch schwach und weit entfernt, und sie ließ die Hitze und das Sterben um uns herum weniger schlimm erscheinen, und langsam, zögernd kam etwas Abkühlung in die Luft. Der violette Nebel kroch bis zu den Felsvorsprüngen hinauf und löschte das Flussbett und die Fichten aus. Nächstes Jahr … gepachtete Hoffnung … die Chance gar, etwas beiseitezulegen, wenn es eine Gewinnspanne gäbe. Diese Dürre hatte sich schon ereignet. Sie war da und konnte sich kein zweites Mal ereignen. Die Erde würde irgendeinen Ausgleich schaffen für diese trockene Hölle und Verwüstung.

Plötzlich stand Grant auf und ging ein Stück in den Hof. Er blickte gen Süden, die Straße hinunter, und wir sahen zwei Maultiere vor einem Wagen, von ihrem eigenen Staub verschleiert und quälend langsam vorankommend.

»Ramseys Maultiere«, sagte Grant.

Dad spähte durch seine staubige Brille und fragte, wo Ramsey zu dieser Stunde wohl hinwolle. »Kann nicht stimmen, Grant«, sagte er. »Ramsey hat keine Zeit, durch die Gegend zu fahren – keinen Grund an einem Wochentag.«

»Der hat jetzt ganz viel Zeit«, sagte Grant. »Mehr, als er je brauchen wird.« Aber Dad verstand ihn nicht.

Der Wagen kam näher, und wir sahen, dass es Christian war, der die Zügel in den Händen hielt, vornübergebeugt, als wäre er halb eingeschlafen. Lucia saß aufrecht neben ihm, wuchtig, über den Sitz quellend, mit dem schlafenden schmutzigen Mac im Arm. Die anderen Kinder waren hinten im Wagen, zwischen Kisten und anderen Sachen ein-

gequetscht, Feuerholz vielleicht oder Stühlen. Niederge-
drückt blickten sie uns an, Henrys Gesicht verquollen und
ausgezehrt vom Weinen. Eins der kleinen Mädchen winkte.
Sie hielten am Tor, den Maultieren lief der Schweiß aus
dem Fell, die Haare auf ihren Gesichtern, unter den Augen-
höhlen, waren feuchtschwarz. Am Rumpf des einen war
eine wunde Stelle vom Gurtzeug sichtbar, groß wie eine
Hand, an den Rändern schwarz, aber rot da, wo die Fliegen
hockten.

»Turner hat ihn also rausgeworfen«, sagte Grant. »Er
konnte die Pacht nicht auftreiben.«

Dad sah ihn an und sagte: »Ach so«, als ob er es weder
glaubte noch begriff, aber wollte, dass wir das dachten. Es
traf ihn wie ein Schock, obwohl Ramsey ihm nichts bedeutete.

Grant ging mit mir zum Tor. Die Kinder waren verlegen
und ernst, und selbst Lucia wirkte alt. »Der gottverdammte
alte Alligator hat uns rausgeschmissen, Mister Koven. Hat
seinen Kerl zu uns geschickt und gesagt, wir sollen keinen
Ärger machen. Ist nicht mal selbst gekommen, sonst hätt ich
ihm den Ofen übern Kopf gezogen. Das wusste er auch!«
Henry kletterte über das Rad und schob seine Hand in die
von Grant. Er blickte ernst zu ihm hoch und bohrte in der
Nase. Grant fragte, ob sie wüssten, wohin, aber Ramsey
schüttelte den Kopf. »Irgendwo in Union. Lucia kann vielleicht Arbeit in 'ner Fabrik finden.« Er schaute die ganze
Zeit auf die Maultiere hinunter und drehte den Kopf nicht
zu uns, um uns anzusehen; trübsinnig und hoffnungslos,
sodass alles, was wir sagten, hohl klang. »Wir haben noch
den alten Muuh«, flüsterte Henry und zeigte auf Moores
Geisterkörper, der mit einer schmutzigen Schnur an ein
Rad gebunden war. »*Er* wollte ihn totmachen, aber Mom
hat gesagt, nee, den behältst du für die Kinder!«

Ramsey hob die Zügel und richtete sich auf, schnalzte und schalt mit Henry. Nicht ärgerlich, eher so, als käme es auf nichts mehr sonderlich an, und ihn zu rüffeln wäre ihm nur aus alter Gewohnheit eingefallen. Grant nahm Henry hoch und zwängte ihn neben das rostige Bett. Der Wagen war voller Zeugs, das aussah wie die Restbestände eines Schrotthändlers. Paula saß auf einem Haufen rostiger Dosen und hielt einen alten aufgeplatzten und durchlöcherten Radschlauch in den Armen. »Schuhflicken«, erklärte Henry. Unter den Säcken und Möbeln war die Ladefläche mit Maiskolben übersät.

»Die haben wir mitgenommen«, sagte Lucia. »Chrishun schuldet Mister Turner alles, also haben wir so viel geklaut, wie in den Wagen gepasst hat. Er kommt die Maultiere holen, wenn wir geschnappt werden, aber den Wagen will er nicht, hat er gesagt. Das hier ist der ganze Mais, der schon reif war.«

»Wollt ihr den verkaufen?«, fragte Grant sie. »Habt ja nichts mehr, woran ihr ihn verfüttern könnt.«

Lucia grinste. »Den behalten wir, Mister Koven. Mais hält sich lange. Bringt uns vielleicht mal ein paar Hühner und 'n Schwein ein. Dann haben wir was, woran wir ihn verfüttern können.« Sie wirkte zuversichtlich und gelassen. »Sag deinen Leuten Lebewohl, Miss Marget. Und du auch, leb wohl. Sie auch, Mister Koven!«

Christian ruckte an den Zügeln, und sie zuckelten wieder los. Henry, im Wagen stehend, winkte ungestüm und beugte sich über den Rand. Die Kinder schrien ihr Lebewohl, und Lucia winkte mit einer Hand. Groß und schwarz, das Gesicht unter plötzlich strömenden Tränen verzerrt.

Die Maultiere krochen am verdorrten Maisfeld um die Kurve und waren außer Sicht.

Das wird uns auch noch passieren, dachte ich. Wir werden uns genauso von hier fortschleichen, wie wir hergekommen sind.

»Arme alte Lucia!«, sagte Grant. »Ich wünschte, sie hätte ihre Chance bekommen, Turner eins überzuziehen!«

10

In derselben Woche stürzte der alte Rathman und brach sich die Hüfte. Grant ging am nächsten Tag hin und blieb eine Zeit lang dort, um zu helfen. Max hatte seine Lena geheiratet und lebte mit ihr wieder zu Hause, weil es sie keine Miete kostete, war aber den ganzen Tag fort, und seine Brüder wohnten inzwischen woanders. Der alte Rathman hatte sich gerade hinlegen wollen, als er einen seiner Schwindelanfälle bekam und stürzte. Seine Frau hatte ihn gehört, war zu ihm gelaufen und hatte versucht, ihn aufs Bett zu zerren, ihn aber nicht anheben können, also war sie zu Max gegangen, der gerade nach Hause gekommen war und anfangen wollte zu essen. »Max«, hatte sie gesagt, »wenn du mit Essen fertig bist, hilf mir, Pop aufs Bett zu heben.« Da wussten sie noch nicht, dass er sich die Hüfte an zwei Stellen gebrochen hatte; das sagte ihnen erst der Arzt.

»Der Alte hat zu lange rumgewirtschaftet – hatte ja schon früher Schwindelanfälle«, sagte Vater. »Wird erst aufhören zu arbeiten, wenn er keine Hand und keinen Fuß mehr heben kann.«

Wie du, hätte ich gern gesagt. Vater ging es nicht gut, und er arbeitete zu schwer. Ich wünschte, er hätte etwas von Mutters gesundem Verstand und würde alles langsamer angehen. Es ist falsch, das Leben um des Lebens willen zu vergeuden. Sie empfand die Dinge genauso wie er, wünschte sich Behaglichkeit, kam aber leichter ohne sie zurecht. Sie besaß eine seltene warme Lebendigkeit unter und über einem inneren Kern, die nicht damit verbunden war ... war vollkommener lebendig, weil weniger abhängig vom Leben.

Grant teilte Dad mit, dass er Rathman ein paar Vormittage lang helfen werde. Knapp anderthalb Hektar Melonen hatte der alte Mann noch übrig. Blutrot reif, mussten sie binnen eines Tages hereingeholt werden, sonst wäre nichts mehr auf den Feldern als Matsch.

»Ich bezahl dich nicht dafür, dass du bei Rathman arbeitest«, sagte Vater und vergaß, dass er Grant sowieso nicht bezahlte. Vor sich hin brummend, saßen sie draußen auf den Stufen, während wir drinnen arbeiteten. Grants großer Schatten vom Küchenlich fiel länger auf den Pfad als Vaters. Wir konnten hören, was sie sagten, aber sie redeten so, als gäbe es uns nicht. Obwohl ich bezweifle, dass Grant nicht wahrnahm, wie Merle in dem Raum hinter ihm hin und her lief, ihre Kessel auf den Herd schob und wieder herunter.

»Ich bitte Sie ja nicht, mich zu bezahlen«, sagte Grant.

»Und Max wird dir auch nichts geben«, sagte Dad. »Max zahlt nur sich selbst was, sonst niemand.«

»Er kann seine Stelle nicht kündigen«, sagte Grant. »Irgendwer muss der Dumme sein. Wir können hier morgen sowieso nicht mähen. Es ist noch nichts so weit.«

»Wird auch nichts je so weit *sein*«, sagte Dad. »Scheinasternstroh und ein Silo voll Heuschrecken.«

»Wir hätten auch Melonen anbauen sollen«, sagte Kerrin. Ihre Stimme kam aus der Dunkelheit, wo sie stand und zuhörte, und sie erwartete, dass Grant ihr recht geben würde, aber er sagte nur etwas von hügeligem Land und ausbleibendem Regen. Dad setzte sich auf und wandte sich ihr zu. »Nichts ist je recht, oder? Nichts je so recht wie bei anderen Leuten!« Er stand auf und schlurfte zum Stall hinüber.

»Mach nur«, knurrte er Grant über die Schulter hinweg zu. »Mach, was du willst.«

Kerrin kam und setzte sich an seiner Stelle neben Grant. Sie saß da auf eine begierige und zugleich zögerliche Art, doch er rührte sich nicht und wandte sich ihr nicht zu, sondern starrte nur Dad hinterher. Die arme, verrückte Kerrin! Alles, was sie tat, wollte ich mitunter auch gerne tun, hatte aber mehr Gespür oder weniger Mut – ich weiß nicht, was von beidem es war.

11

Der Unfall des alten Rathman schien wie ein jähes Verhängnis, das ihnen das dicke Polster ihres behaglichen Lebens entriss und sie nun nicht besser dastehen ließ als uns andere. Vielleicht sogar schlechter.

Eines Tages, zwei Wochen später, ging ich zu ihnen hinüber und sprach lange mit Mrs. Rathman, hinten im Obstgarten, außer Sichtweite des Hauses. Sie sah sehr alt aus, gebeugt und schlaff, als wäre alles Leben aus ihr gewichen. »Diese Lena!«, sagte sie. »Ich rede jetzt seit zwei Wochen keinen Ton mit ihr! Ich rede mit Max, aber nicht mit ihr. Ich hab neun Kisten Limabohnen gepflückt und hab sie alle fertig, und die Leute rufen an und fragen danach, und Lena sagt, nee, sie hat keine Zeit, sie reinzufahren, sie muss ihre Wäsche machen, und sie hat genug für mich und Pop getan, sagt sie, und ich weiß nicht, wie ich in die Stadt kommen soll, wo Max den ganzen Tag weg ist und Pop krank im Bett, und die Kisten haben da rumgestanden und alles ist verschrumpelt, bis es nicht mal mehr für die Krähen was getaugt hat. Dann kommt sie und will Geld für die Stromrechnung, für die Telefonrechnung, und die Steuern soll ich zahlen – und ich frag sie, wo das Geld ist, das sie und Max mit Pops Beeren verdient haben, die hatten sie nämlich abgestreift und verkauft, bevor ich mir die paar wenigen für den Wein nehmen konnte, den er so mag, und Lena sagt, davon hat sie nix gewusst, und Max sagt, er hat mit den ganzen Beeren Verlust gemacht und weniger gekriegt, als das Transportieren gekostet hat, also hat er das Geld einfach behalten und für den Wagen ausgegeben – dasselbe Geld, das er für die Beeren gekriegt hat. Und manchmal sagt sie: ›Wir wollen hier nicht länger bleiben. Ist sowieso viel zu heiß oben‹, und ich sag ihr, dann sollen sie doch gehen, aber das machen sie nicht, weil es billig hier ist und ich keine Miete von ihnen nehme, und sie fragt mich, was ich denn mache, wenn sie und Max weggehen, wo Pop krank ist und keiner von den Jungs mehr da, und ich hab gesagt, ich komm leicht allein klar und ich könnte gut auf sie verzichten, da hatte sie nichts drauf zu sagen, weil sie ja nirgendwo anders umsonst wohnen können, und ihr Wagen ist nicht abbezahlt, das weiß ich, weil neulich ein Mann hier angerufen hat, bevor ich das Telefon ausgestöpselt hatte, weil sie nicht bezahlt haben, und ich bin rangegangen, und er wollte wissen, wann er mit ihrer Monatsrate rechnen kann, und ich hab gesagt: ›Die haben nichts zum Bezahlen, da brauchen Sie nichts zu erwarten!‹, und hab aufgelegt. Sie haben im ganzen Bezirk Schulden für dies und das, und Max hat sich gestern Abend zehn Dollar geliehen, aber die hätt ich ihm genauso gut als Geschenk geben können!«

Außerdem sei sie einsam, sagte sie mir, und die anderen Jungs kämen nicht mehr sonntags zu ihnen raus wie früher, weil Lena nichts mit ihnen zu tun haben wolle und verrückt aussehe und ein langes Gesicht mache, wenn sie kämen, und nach oben gehe und allein esse; und Hilda komme auch nicht mehr so oft, nachdem Lena einmal so gemein zu ihr gewesen sei, als sie den neuen Eisschrank aufgemacht habe – den, der noch nicht bezahlt sei –, nur um zu sehen, was darin aufbewahrt werde, und da sei Lena fuchsteufelswild geworden und habe sich mit ihr gestritten, wie sie es auch mit Max tue, bis es nicht mehr auszuhalten gewesen sei, sagte Mrs. Rathman.

All das erzählte sie in einem einzigen Schwall wie jemand, der zu lange eingesperrt war, und ihre ganze sanfte

Gemütlichkeit war verschwunden. Ich glaube, sie war froh, mich als Zuhörerin zu haben, obwohl es wenig gab, was irgendeiner hätte tun oder sagen können. Die Farm schien tatsächlich in die Binsen zu gehen und zu verwahrlosen – der Teich erstickte unter Seerosen, die Beerensträucher verwilderten –, weil Max so viel weg war und die anderen Jungs nur dann und wann mal kamen und der alte Rathman nichts tun konnte außer essen und schimpfen und sein Bett schmutzig machen und die Hälfte der Zeit gar nicht wusste, was er tat.

Ich ging wieder zur Straße, die laute, schimpfende Stimme vom alten Rathman im Ohr, und fragte mich, ob es irgendwo auf der Welt Frieden oder Sicherheit gab.

12

Im August strömte der Geruch von Trauben wie eine warme Flut durch die Fenster. Doch sie reiften ungleichmäßig, harte grüne Kugeln durchzogen das Violett. Die Äpfel fielen zu früh und landeten knisternd im trockenen Gras – die Goldsommeräpfel matschig und braun, die sauren Winesaps rot mit weißem Fleisch. Der Bach hörte ganz auf zu fließen, und die Wälder waren voller toter Dinge – Blätterstaub und dorniger Reben, die zerbröselten, wenn man sie berührte. Frühmorgens war es manchmal kühl und still, doch dann kam die Hitze zurück, die Sonne knallend und erbarmungslos wie immer, und die roten Pflaumen prasselten wie Regen in das ausgedörrte Gras. An manchen Stellen ließen die Heuschrecken nur die weißen Gräten des Unkrauts übrig, selbst die blasse Haut war abgeschält, und die Maisstängel sahen aus wie gelbe Skelette. Der größte Teil des Gartens war verloren. Selbst die Kartoffeln so schwarz wie nach einem Frost oder Feuer. Die Gurken, eingerollt und runzlig. Verfaulende Tomaten mit heller, übel riechender Schale. Die Bohnen fahl und farblos.

Tag für Tag ging es so weiter. Heißer Wind, heiße Sonne, heiße Nächte und Tage, austrocknende Teiche und Flüsse; langsam, aber sicher wurde alles umgebracht, was sich traute, ein grünes Blatt oder einen Sprössling auszutreiben. Nur die Weiden lebten.

Es gab Zeiten, da wollte ich mich einrollen wie ein Stück Asche oder schreien. Es war unerträglich, sage ich euch! Tod im heißen Wind, im gleißenden Sonnenlicht und in der trockenen Luft. Die Felder weiß gesengt.

Ich sah die frühe Goldrute kraftlos blühen, als schwebten gelbe Pollen an den Zaunstreifen entlang, und erinnerte mich, dass es einmal eine Zeit gab – hundert Jahre schien es her zu sein –, als der Anblick von Goldrute genügt hatte, um zu leben und davon zu zehren. Doch in diesen Tagen war es nur ein verschwommener Eindruck jenseits des Gedankens an Kartoffeln und die ausgedörrten Felder und Kerrins zunehmende Geistesverlorenheit. Sie unterrichtete wieder, seit die Schule im August angefangen hatte, schien aber immer noch unsicher zu sein, was sie wollte, wütend und störrisch, weil sie nicht erreichen oder tun konnte, wovon sie selbst keine klare Vorstellung hatte.

Und dann, als es schien, uns könnte nichts Schlimmeres oder Schrecklicheres mehr zustoßen, passierte noch etwas.

Eines Morgens riefen uns die Huttons an. Fragten, ob wir in Kerrins Schule Bescheid sagen könnten, dass Whit Hutton nach Hause kommen solle. Sein Onkel sei tot, sagten sie. Der Heuaufzug sei gebrochen und auf ihn gestürzt. Nein, Ma'am, sonst gibt es nichts, was zu tun wäre. Nur Whit sagen, er solle sofort nach Hause kommen.

Es war ein langer Fußmarsch zur Schule, und unterwegs, im Staub der vielen Kilometer, jede Sekunde auf die Momente hinlebend, wenn ein Baum seinen dünnen trockenen Schatten warf, fragte ich mich, warum alle immer solche Eile hatten, eine Todesnachricht zu verbreiten. Warum sollten wir so schnell davon erfahren? Warum kämpfte ich mich hier durch die heiße Mittagssonne, bloß damit Whit ein paar Stunden früher von etwas erfuhr, was weder ihm noch sonst irgendeinem helfen würde? Immer wenn Menschen sterben, wird die bittere Nachricht eilends, noch bevor ihnen überhaupt jemand die Augen zugedrückt hat, jenen überbracht, die es am meisten betrifft, als missgönnten die Zeugen des Todes allen anderen auch nur eine halbe Stunde gnädiger Ahnungslosigkeit. Außerdem kannte ich Whit Huttons Onkel, und wenn ein Heuaufzug abgestürzt war und ihm den Kopf zu einem blutigen Brei zerquetscht hatte, dann lag das daran, dass er zu betrunken gewesen war, um zu merken, wo seine Füße standen, und wenigstens brauchte jetzt Stella einen weniger satt zu machen und nachts rauszuwerfen. Trotzdem würde es eine große Beerdigung geben, und Wallace, der sein Leben lang die Kirche gemieden und einen Bogen um sie gemacht hatte wie um einen Treibsandsumpf, würde mit den anderen Huttons unter ein scheußliches Familiengrabmal gelegt, dessen Schatten immer aussah wie ein monströser, über den Gräbern thronender Toiletteneimer.

Es gab keinen Grund zur Eile. Wally konnte nirgends mehr hin. Zeit genug, viele Stunden Zeit für Whit, den zerschmetterten Schädel seines Onkels zu sehen und sich die Ohren damit vollstopfen zu lassen, wie es passiert war, und das auf verschiedene Weisen, mal leise, mal schrill. Damals, als Wally noch lebte und ein in Gin getränktes schalldichtes Schutzschild zwischen sich und die harte Notwendigkeit des Denkens gehalten hatte – damals wäre Eile geboten gewesen. Aber erst ein Mann mit blau gequetschtem Schädel, dessen schlampiges Herz für immer stehen geblieben war, setzte irgendeinen in Trab. Ich fragte mich, was es für Whit bedeuten würde – einen freien Tag und eine Art Berühmtheit bei den anderen, eine Extrascheibe Brot am Morgen, jetzt, wo der dicke alte Wally seinen Appetit verloren hatte. Guter Mulch für ein Maisfeld, hatte Grant einmal von ihm gesagt. Ereignisse treffen plötzlich ein. Nicht, wenn wir sie am meisten fürchten oder um sie beten, aber auch nicht ohne Ursache oder Zusammenhang, wenn wir nur den unsichtbaren Plan verfolgen könnten. War das tatsächlich so? Angenommen, Grant würde sterben.

Wo wäre da das Muster? Ich konnte nicht weiter über diese Dinge nachdenken – nicht, wenn es mir wirklich wichtig war, nicht, wenn beim bloßen Gedanken mein Herz verdorrte wie Erde.

In den Wäldern gab es kein Laub und kein Unterholz mehr. Die Johannisbrotbäume dünn und dornig, von Heuschreckenmäulern weiß genagt, die Klettertrompeten nackt, ohne Blätter. Die Maisfelder sahen aus wie im späten November.

Der Schulhofrasen war staubig, an manchen Stellen kahl gewetzt wie ein Hühnerhof, und die schattenlosen Fenster waren von Fingerabdrücken verschmiert. Ich ging leise zur Tür und blieb dort stehen. Seit Kerrins Schule dieses Jahr wieder geöffnet hatte, war niemand von uns dort gewesen. Es war zu schwierig, sich einen Grund dafür auszudenken, der nicht wie Schnüffelei wirken würde. Nichts wäre eindeutiger oder verdächtiger gewesen, als wenn eine von uns einfach zur Schule gekommen wäre, um sie unterrichten zu hören. Aber ihr Zustand hatte sich in diesem Monat noch verschlechtert, und wir machten uns Sorgen, fragten uns, wie sie wohl unterrichtete und was in der Schule vor sich ging. Anfang August war sie rastloser gewesen denn je und hatte Grant manchmal nach Union begleitet, wenn er die Milch dorthin fuhr. Aber sie merkte sich nie, was wir ihr auftrugen, und zögerte Grants Rückkehr hinaus. Auch schien sie keinen Deut glücklicher, mal eine Weile von der Farm fort gewesen zu sein; nichts in Union, sagte sie, unterscheide sich wesentlich davon, wie es hier in den Ställen sei. Zunächst hatte es den Anschein gehabt, als wäre sie froh, wieder in der Schule zu sein, auch wenn sie seltsam widerwillig von ihrem Unterricht erzählte. Sie redete viel von den Aufführungen, die sie mit den Kindern machen würde, und saß mit dunklem, konzentriertem Gesicht da, als entstünden all die Theaterstücke und Darbietungen gerade in ihrem Kopf. »Ich muss planen«, sagte sie immer wieder, starrte in die Luft und vergaß alles. Sie weigerte sich, uns zu erzählen, wie es lief, was die Kinder sagten oder taten. »Sie lernen. Ich sehe schon, dass sie etwas lernen. Was gibt es da noch zu sagen? Was wollt ihr denn wissen? Wie es in dem Raum gerochen hat? Wer wen getreten hat? Wie dumm Huttons Kinder sein können? Vielleicht hättet ihr gern ein Diagramm von ihrem Schmutz!« Und damit ließ sie uns stehen, wollte nicht weiter mit uns reden. Mutter wirkte seit einiger Zeit angestrengt und bedrückt, als wäre ihr etwas verloren gegangen und Frieden zu finden immer schwerer für sie. Sie beobachtete Kerrin, wusste sie doch, wie zwecklos es war, das Gespräch mit ihr zu suchen oder auch nur dem Rand der Wahrheit nahe zu kommen, wenn Kerrin sich nicht unbewusst verriet. »Du müsstest irgendwann mal zur Schule gehen und sie dort *sehen*«, sagte sie zu mir. »Denk dir einen Grund aus, hinzugehen, während sie arbeitet.«

Doch bis jetzt war mir kein Vorwand eingefallen. Und hinterher wünschte ich manchmal, bei Gott, es hätte nie einen Grund gegeben. Kerrin saß am Pult, sah mich aber nicht. Sie blickte auf ihr Buch hinunter und murmelte Fragen in die Klasse. Die Temperatur unter dem Dach grenzte an Ofenhitze, und ihre Haare waren feucht, klebten ihr flach am Kopf wie schwerer Schlamm. Sie stellte die Fragen schnell, ohne aufzuschauen und ohne irgendwelche Antworten abzuwarten. »Richtig«, sagte sie und ging zur nächsten Frage über. Die Kinder rekelten sich oder schliefen auf ihren Stühlen, doch niemand flüsterte. Es war sonderbar – dass sie so still waren und dass Kerrin nicht aufschaute. Selbst hier, im schattenlosen Licht der prallen Sonne, wurde mir aus irgendeinem Grund kalt und elend.

Dann begriff ich, dass sie *Angst* hatten zu sprechen. Sie waren an dieses Verhalten von ihr gewöhnt!

Fünf Minuten lang ratterte sie weiter ihre Fragen herunter, dann knallte sie das Buch zu. Sie blickte auf und sah mich, ohne gleich zu erkennen, wer da war. Dann stieg ihr wellenartig das Blut ins Gesicht und verebbte wieder, sodass nur die angeschmutzte, verbrannte Farbe ihrer Haut blieb. Sie war wütend und nervös, als wäre sie bei etwas Bösem ertappt worden. »Wann bist du hier reingeschlichen? Wer hat dich geschickt?«, fragte sie ein ums andere Mal, bevor ich die Chance hatte, es ihr zu sagen. Sie kam zur Tür, und in dem grellen Licht sah ihr mageres Gesicht verfleckt und hässlich aus. Selbst als ich ihr erklärte, warum ich gekommen war, und sie Whit zu sich rief, beschäftigte sie die Empörung über meine Anwesenheit mehr als die Nachricht vom Tod des alten Wally. »Wer hat dich geschickt?«, fragte sie. »Wieso hast du dich hier reingeschlichen? Warum sind sie nicht selbst gekommen?«

Als Whit bei uns war, sagte sie ihm, er solle nach Hause gehen. »Deine Eltern haben angerufen. Du musst nach Hause.« Der Junge wirkte ängstlich und muffelig und schien ihr nicht zu glauben. »Dein Onkel ist tot«, sagte sie. »Der Heuaufzug hat ihn zur Strecke gebracht.« Sie schien fast ein boshaftes Vergnügen daran zu finden, es ihm auf diese Weise mitzuteilen. Whit starrte uns an und schoss dann wie ein irres Kaninchen auf die Straße. Ich rief ihm hinterher, er solle nicht rennen, in der heißen Sonne könne er sterben, aber er hörte es nicht.

»Wally läuft schon nicht weg!«, rief Kerrin. »Der wartet – kein Grund zur Eile!« Sie brach in Gelächter aus und wandte sich dann wieder mir zu. »Die Show ist zu Ende«, sagte sie. »Kein Grund, hier noch länger rumzulungern. Oder denkst du dir vielleicht noch einen anderen Grund aus?«

»Nein, das war alles«, sagte ich. »Ich muss zurück. Ich hätte ja damit gewartet, aber sie wären ärgerlich gewesen – empört –, wenn er die Nachricht nicht sofort erhalten hätte. Was ist so schlimm daran, dass ich hier bin, Kerrin?« Ich wusste, dass es zwecklos war, sie das zu fragen – dass Fragen sie nicht mehr erreichten –, aber ich konnte nicht widerstehen, konnte diesen letzten Versuch nicht unterdrücken, sie so zu behandeln, als wäre sie vernünftigen Gedanken zugänglich. Allerdings machte es sie nur noch wütender.

»Du wolltest bloß sehen, ob ich hier bin, wolltest einen Vorwand haben, mich unterrichten zu sehen! Whit hätte warten können. Du wolltest bloß herkommen und mich beobachten. Was anderes als Leute beobachten und ihnen nachspionieren machst du doch sowieso nie. Du hast Angst, selbst irgendwas zu tun! Was hast du jemals getan, was schwierig gewesen wäre? Was kennst du denn außer deinem ewigen Gebacke und deinen Büchern? Deinen süßen kleinen Blättern und Gräsern!« Ihre Stimme wurde immer lauter, bis sie beinahe brüllte. Laut und närrisch da draußen auf dem staubigen Hof. Dann, bevor ich antworten konnte, kehrte sie mir den Rücken zu und schloss die Tür.

Auf dem Rückweg vergaß ich sogar den Staub und die Hitze. Jetzt erinnere ich mich an das staubige Grau der jungen Ulmen und die nackten Ranken, aber damals konnte ich an nichts anderes denken als an Kerrin.

Als ich Mutter erzählte, was ich gesehen hatte, sagte sie zuerst nichts, sondern setzte sich nur auf die Veranda, zu müde und belastet, um länger zu stehen. Es war sechs Uhr und die Sonne noch so heiß wie am Mittag, die Ranken an den Säulen tot – nichts als Schnüre mit ein paar trockenen Blättern daran. Wenn sich die Kühe in der Nähe des Stalls bewegten, flog der Staub in dicken Wolken auf und setzte sich dann knöcheltief in ihren Hufspuren ab.

»Wir müssen ihnen gleich Bescheid geben«, sagte Mutter schließlich. »Wenn sie ihre Kinder nicht unterrichtet. Wenn sie nicht mehr verantwortungsvoll ist.«

»Das finden sie noch früh genug raus«, sagte ich. »Und sie wird sowieso nicht auf uns hören. Es gibt nichts, was wir tun oder sagen könnten. Sie werden es von den Kindern erfahren und ihr kündigen.« So in Worte gefasst, klang es grob und gleichgültig. Es war die Wahrheit, aber die Wahrheit ohne all die darunterliegende Angst und Bedeutung und Sorge. Wir konnten so viel fühlen, aber nur in kargen, simplen Worten miteinander reden. Kurz sah ich vor mir, wie unerträglich es sein würde, wenn Kerrin wieder den ganzen Tag zu Hause wäre, schlimmer denn je nach der Demütigung, entlassen worden zu sein. Mir war auch nicht klar, wie wir ohne ihr Geld zurechtkommen würden. Der arme Dad, ohnehin schon von Schulden und Dürre geplagt, würde einen Ersatz für ihren zwar missmutig geleisteten, aber willkommenen Beitrag finden müssen. Es gab doch schon genug Hass, genug Angst – ein Übel folgte auf das andere, bis es unmöglich schien, noch mehr zu leiden. Ich erinnerte mich an die schrecklichen Worte in *Lear*: »'s ist nicht das Schlimmste, solang man sagen kann: dies ist das Schlimmste.« In diesem Jahr hatte ich schon unzählige Male gerufen: Es ist genug!, und das Ende war nie gekommen.

»Morgen musst du zum Schulamt gehen«, sagte Mutter. »Sie müssen jemand anders für sie finden.«

Ich wünschte, es würde nie morgen werden.

13

Ich ging hin, weil es nichts anderes zu tun gab. Doch auf dem ganzen Weg durch Staub und Hitze zerrte der Wunsch an mir, wieder umzukehren. Sie weitermachen zu lassen, bis man sie auf andere Weise erwischte. Bis es die Kinder erzählten oder jemand anders herausfand, was da los war. Das Geld für diesen Monat und den nächsten und den übernächsten einzustreichen – es einzustreichen, bis man ihr von selbst auf die Schliche kam. Und in meinem Herzen grauste es mich zu wissen, dass ich aus eigenem Antrieb oder wenn die Entscheidung mir allein überlassen gewesen wäre, nie etwas gesagt hätte.

Ich erklärte Mr. Bailey, dass Kerrin nicht gesund und nicht in der Lage sei, die Kinder weiter zu unterrichten, und dass er, wenn er selbst in der Schule erschiene, verstehen würde, was ich meinte. Ich hätte gern gesagt: ›Lassen Sie es so aussehen, als käme es von Ihnen. Lassen Sie sie nicht wissen, dass wir es Ihnen gesagt haben!‹ Aber mir war klar, dass wir am Ende ohnehin die ganze Schuld tragen müssten und sie deshalb auch gleich auf uns nehmen konnten.

Zuerst wollte er mir nicht glauben und ärgerte sich sogar, dass ich ihre Entscheidung infrage stellte, vielleicht meinte er, es beflecke ihn und die ganze Behörde mit einem Makel. Und dann wurde er zornig, auf eine jähe, blindwütige Art, instinktiv von Abscheu und Furcht vor dem Fremden gepackt wie alle Menschen, während er im Kopf schon an Gewalt und Irrenhäuser dachte und Angst um die Kinder bekam. Er behandelte mich, als wäre auch ich verdorben, und fragte, warum wir ihm nicht schon früher davon berichtet hätten. »Wir wussten es nicht«, sagte ich und versuchte ihm die Lage zu erklären. Es sei nichts, wovor man Angst haben müsse, sagte ich; sie brauchten nur jemand anders für die Stelle zu finden.

Auf dem Rückweg war mir hundeelend, und mir graute davor, wie Kerrin sich aufführen würde, vor all den Tagen, die wir mit ihr verbringen müssten, einer auf den andern getürmt, ohne jede Erleichterung oder Veränderung. Und ohne das Gehalt.

14

Sie entließen sie. Nicht nur, wie ich herausfand, aufgrund meines Besuchs bei Bailey, sondern weil die Kinder über sie geredet hatten und die Leute unruhig wurden und sich Sorgen machten. Wir mussten es hinnehmen und Kerrins Wutanfälle still erdulden, nachdem sie wirr vor Zorn und gekränktem Stolz nach Hause gekommen war. Die Tage schienen wie eine lange Reihe ungeschlagener Schlachten, ein Gang zwischen giftigen Dornen, und wir brauchten ein Ausmaß an Geduld, das unsere Kräfte aufrieb. Sie hasste mich, wurde das Gefühl nicht los, dass es so gekommen war, weil ich sie an jenem Morgen aufgesucht hatte, und fragte mich, warum ich die Stelle nicht übernehmen würde, wenn ich sie ihr schon entrissen hätte. »Ich wäre eine schwerfällige Lehrerin, Kerrin«, sagte ich zu ihr. »Ich kann nicht so mit ihnen umgehen, wie du das kannst.« »Vielleicht nicht«, sagte sie, »aber das Geld wäre das gleiche – und deins. Das wolltest du doch, oder nicht?«

Es hatte keinen Sinn mehr, mit ihr zu diskutieren, und sie konnte kaum länger an etwas arbeiten. Die Dinge, um die wir sie baten, hätten wir selbst schneller und sorgloser erledigen können. Vater nahm es ungerührt gut auf. Er hatte genug Anstand oder auch Angst, um sie nicht damit zu sticheln, und ärgerte sich nicht mehr, wenn er sie umherwandern und ziellos in die Gegend starren sah, obwohl es noch so viel zu tun gab und wir ihr nicht mal das Wasserholen anvertrauen konnten. Sie in der Nähe zu haben war schwer, weil man Mitleid empfand; sie sah aus wie ein bis auf die Knochen heruntergekratztes Etwas, getrieben von einer Art ursprungsloser Energie, nicht mehr von ihrer eigenen Kraft.

Grant war in jenen Tagen geduldig mit ihr, mehr als je zuvor. Er selbst arbeitete mit einer verbissenen Stetigkeit, die alle Gedanken und Gefühle ausschaltet, und ging die zehn Kilometern zur Farm seines Vaters jetzt häufiger zu Fuß, übernachtete dort und kam um vier Uhr morgens zurück.

Die Abende waren blass und trist, und Merle sang nicht mehr mit ihm. Nicht dass seine Stimme besonders gut oder melodiös gewesen wäre, aber sie hatte einen kraftvollen Klang, und, gemischt mit ihrer Stimme, erschien sie uns irgendwie schön. Selbst Vater war manchmal dazugekommen und hatte noch mehr hören wollen, wenn sie sich leer gesungen hatten. Grants häufige Abwesenheit machte Vater rastlos und misstrauisch, und einmal fragte er ihn, ob er vorhabe, bald zu heiraten; als Grant das verneinte und sich abwandte, hakte er nicht weiter nach und ließ seine Unruhe woanders heraus, indem er sich über die Hitze beklagte und die wunden Stellen an seinem Hals und seinen Händen.

Unterdessen dauerte die Trockenheit an und war schlimmer denn je. Ein stilles, monotones Sterben. Im Gebüsch brachen Feuer aus, und auf allem lag Staub von der neuen Straße, mit deren Bau einen Kilometer südlich von uns begonnen worden war. Wir konnten ihn hochwehen sehen, und zwischen den Bäumen hing eine Art brauner Nebel, gemischt mit Rauch aus dem Wald, der an den Seiten geschwendet worden war. Feuer im Osten und Westen hatten weite Flächen verkohlt, sich einen Weg durch einen Teil von Rathmans Land gebahnt und seinen ganzen restlichen Mais vernichtet. Nicht dass es viel ausgemacht hätte, war er doch ohnehin schon schwer mitgenommen und von Heuschrecken zerfressen. Und nun noch im Süden dieser heiße Windstrom, konstant und mitunter voll schwarzer Blätterasche.

»Verdammte Idioten!«, sagte Vater. Immer wieder vor sich hin murmelnd oder lauthals zu Mutter: »Verdammte Idioten, jetzt Feuer zu legen!« Nur Magerweiden und Bauholz lagen zwischen uns und der Straße, und es war, als pflügte man Steine, um eine Ackerfurche zu schaffen. Das Unterholz trocken wie Sand.

»Wozu brauchen sie eine neue Straße?«, sagte Merle. »War die alte nicht gut genug? Kam man darauf nicht genauso gut in die Stadt? Wozu müssen sie hier alles abbrennen und verrauchen und Staub aufwirbeln wie ein Zyklon? Da kann sich einem ja der Magen umdrehen!«

»Sie ist breiter«, sagte Dad, sah sie scharf und misstrauisch an und schaute dann zu Grant. »Ist sie nicht viel besser, Grant?«

»Eine bessere *Straße*«, sagte Grant. Er grinste und hielt die Wörter zwischen ihnen in der Waage, sodass keiner von beiden sagen konnte, wem er recht gab.

»Ein Farmer braucht gute Straßen«, sagte Vater.

»Gute Straßen vielleicht«, fuhr Merle ihn an, »aber durch ein verkohltes Feld fahren müssen, das braucht keiner. Bei Tag ist es da wie in der Wüste! Frag Grant – der weiß das, der muss da jeden Tag durch. Warum übernimmst du das nicht, wenn's dir so viel Spaß macht?«

»Gibt schlimmere Dinge, über die man sich aufregen kann«, sagte Grant. »Man kann nicht alles hassen und dann noch bei Trost bleiben.«

»Ich schon«, entgegnete Merle. »Ich kann Menschen hassen und Hitze und Selbstsucht und diesen gottverdammten Staub und Farmer, die ihre Hunde verhungern lassen und nicht wissen, wie sie ihre Kinder ernähren sollen, und Läuse und Leute wie dich, die rumstehen und sagen, es lohnt den Versuch nicht! Ich kann so ungefähr alles hassen, was es zu hassen gibt, und trotzdem nicht sterben wollen!« Sie schaute zu Grant hoch, stemmte ihre großen Hände in die Hüften und grinste ihn an, wild und gutmütig und bereit, alles zu zersplittern, was er zu sagen hatte. Ich sah, wie er die Finger in den Fäusten verkrampfte, um Merle nicht zu berühren; dann ging er sich das Gesicht waschen, bloß um nicht länger in ihrer Nähe zu sein, und murmelte aus dem Handtuch heraus, es sei womöglich gut, dass sie so viel Arbeit zu erledigen habe, sonst würde sie mit ihrer Energie noch die ganze Welt in Aufruhr versetzen und loslaufen und Berggipfel behauen, wenn sie Kies brauchte.

Sie wollte es ihm nicht durchgehen lassen, dass er nicht weiter auf sie einging, so als hielte er es für zwecklos, mit einem Kind zu diskutieren, und fügte hinzu, nur lautstarker Hass zähle – Hass, der durch Tat und Handlung geboren werde. »Ein Mann kann innerlich wütend sein und rasen«, sagte sie zu ihm, »aber wenn er es nicht herauslässt, kann er genauso gut lieben, was er hasst!«

»Oder hassen, was er liebt«, sagte Grant. Und ich sah, wie Kerrin sie beide beobachtete.

Da wandte Merle sich ab und ging hinaus, und Grant folgte ihr nicht … Die Luft war ein seltsamer roter Nebel aus Sonne und Rauch, und in all dem staubigen Geschmier und Dunst schien Merle das Einzige zu sein, was klar und fest umrissen war.

15

Ich weiß nicht, wie es sonst für uns weitergegangen oder was gewesen wäre, aber jener Abend war Ende und Anfang von mehr, als ich ertragen zu können geglaubt hatte.

Kerrin bemerkte das Feuer unten beim Südfeld. Sie war noch spät draußen unterwegs gewesen und in der Nähe der Ställe herumgewandert, als sie sah, wie es die Busch-eichenreihe verschleierte, und es im Wind roch. Sie kam zurück und rief uns, halb wild vor Aufregung, aus dem Schlaf. »Es ist da!«, rief sie. Hämmerte gegen Grants Tür und schüttelte Merle, die seit Stunden schwer im Schlaf versunken war. Vater wankte aus dem Bett, und ich ver-stand erst einmal nichts, sah sie dann kreischend dort im Mondlicht stehen, selbst das Rot ihrer Haare deutlich er-kennbar – so verblüffend klar war die Nacht. »Steht auf, ihr armen Dummköpfe!«, rief sie und wirkte fast unbändig froh, auf eine hämische Art. Grant kam heraus, noch dabei, sich seine Sachen überzuziehen; grimmig und müde, mit verstrubbeltem Haar. Jetzt sahen auch wir das rote Licht, eine breite Flut entlang dem Feldrand, die sich den Ställen näherte. Grant lief als Erster los und dann Vater, stolpernd und fluchend, sein Gesicht ein furchtbares Durcheinander aus Angst und Wut.

»Jetzt kannst du's nie und nimmer mehr aufhalten!«, rief Kerrin; plötzlich – und verblüffend für sie – griff sie nach Mutter und versuchte sie zurückzuhalten. »Geh nicht!«, sagte sie.

»Wir müssen«, sagte Mutter. »Es kommt schnell.« Sie zerrte einen Haufen Säcke herunter, und Kerrin half ihr.

Wir tränkten sie in unserem letzten Fass, und es schmerzte, Wasser auf den Boden spritzen zu sehen.

Die Hitze war entsetzlich. Wir bekämpften das Feuer am Rand, wo die Büsche niedrig waren, doch der Rauch stach wie Wespen und hüllte uns in dichte Wolken, und unsere Haut wurde wund. Ich schaute einmal zu Merle hinüber, die mit ihrem Sack auf die Flammen einschlug, und der Dampf wirbelte um sie herum, als wäre sie selbst eine Fackel. Die Hitze hätte man noch ertragen können, so gewaltig und siedend sie auch war, aber der Rauch gab uns erst gar keine Chance. Eine Tortur, zu heimtückisch, um dagegen anzukommen. Kerrin lief zurück, die Hand über den Augen, und schrie; und ich erinnere mich jetzt, wie schrecklich ihr dürres, panisches Stolpern im Mondlicht aussah, auch wenn ich wegen der Tränen, die mir in den Augen brannten, kaum etwas erkennen konnte; ich schlug blind aufs Gras ein, spürte dabei den heißen Boden unter meinen Füßen und hörte überall um mich herum das stetige Gebrüll des Waldrands, dort, wo das Feuer über das trockene Eichenlaub raste und das tote Unterholz ein Flammenmeer war. »Lasst es nicht bis zum Maisfeld kommen!«, rief Dad immer wieder. Er und Grant machten sich hilflos mit ihren Spaten zu schaffen, versuchten, einen Pfad auszuheben, den die Flammen nicht überspringen könnten, doch hinter ihnen, ein Stück weiter unten, schweifte das Feuer aus und kam in einem großen Bogen auf uns zu. Wir hatten keine Zeit für irgendwelche Gedanken, keine Zeit für Angst. Es war schrecklich, und wir waren zu dicht dran, um auch nur ansatzweise zu begreifen, was es bedeutete.

Dann plötzlich – ich weiß nicht, wie, es sei denn, sie stolperte und taumelte seitlich ins brennende Unkraut – fiel Mutter hin und wurde von den Flammen umspült, bevor sie sich aufrappeln oder schreien konnte. Grant sah es und rannte über das halbe Feld, warf seinen Spaten weg und rief durch das Tosen und den Rauch hindurch laut nach uns, und als wir bei ihnen ankamen, hatte er sie schon aus dem Feuer gezogen und die Flammen mit den Händen und dem Sack, den sie bei sich hatte, erstickt – doch zu spät, um zu verhindern, dass sie Verbrennungen erlitt.

Grant und Kerrin trugen sie zurück, während Dad auf dem Feld blieb und peitschte und schaufelte wie ein Riese und Merle mit ihm. Ich lief zum Haus, weil ich wusste, dass Kerrin nur weinen und beten und keine Ahnung haben würde, wo irgendetwas zu finden wäre, auch wenn mir selbst in dem Augenblick nicht ganz klar war, was ich tun oder finden sollte, um zu helfen. Ich schickte Kerrin zu Rathmans und tat mit den Dingen, die wir hatten, mein Möglichstes, aber nichts schien genug, um all die furchtbaren Brandwunden zu bedecken, und es war nur wenig Salbe im Regal, die ich auf ihrem Gesicht und ihren Händen verteilen konnte.

Die Luft war voller Rauch und im Lampenschein wie Nebel. Man konnte nur schwer atmen, und Mutter schrie manchmal auf.

»Geh du zurück«, sagte ich zu Grant. Es gab nichts, was er tun konnte – keine Möglichkeit für irgendeinen, sich zwischen sie und ihr Leiden zu stellen –, und unterdessen kam das Feuer die ganze Zeit näher. Buscheichen und Sträucher auf dem weiten Feld, die jäh zu Fackeln wurden, auflodernde Zaunpfähle und lautes Gebrüll, wenn Äste zu Boden krachten. Grant ging hinaus, und ich blieb allein, konnte nichts tun, außer zu beten und laut zu rufen nach irgendetwas oder gegen alles und jeden – Herrgott, bitte!

Es war furchtbar – entsetzlich –, sie leiden zu sehen. Ich glaube, ich würde lieber gefoltert werden, als diese Nacht noch einmal durchzumachen. Das rot gleißende, in den Fensterscheiben gespiegelte Licht, die beißende Luft, Mutter, die dort auf dem Bett lag, rot gefleckt und halb wahnsinnig vor Schmerzen … Dann kam Kerrin mit etwas Salbe zurück und sagte, sie hätten einen Arzt gerufen, und stand weinend da und schlug die Hände zusammen – ging sogar neben dem Bett auf die Knie und sagte immer wieder: O Gott, bitte nimm es fort! Nimm es fort! Mrs. Rathman sah sie an, verständnislos und von ihrer Heftigkeit verängstigt, und die ganze Zeit wurde der Rauch im Zimmer stärker und ätzender, bis Mutter anfing, nach Atem zu ringen. Auch Max kam, und Kerrin stand auf und ging mit ihm hinaus, um den Graben rund ums Maisfeld fertig zu schachten. Der ganze Wald war jetzt praktisch dahin und auch der Heuhaufen, der dem Zaun am nächsten war, und wir hörten das Zischen und Lecken des Feuers zwischen den Weizenstoppeln, während es quer über die nordwestliche Ecke des Feldes züngelte.

»Geh du auch«, sagte Mrs. Rathman. Sie verteilte ihre schmierige braune Salbe auf Mutters Hals und wirkte verlässlich und beruhigend, voller Zuversicht, jetzt, da Kerrin nicht mehr da war. Ich ging also wieder nach draußen und rannte zum Feld, sah sie alle gegen das Feuer angehen wie aufgebrachte schwarze Ameisen, Merle, immer noch peitschend und schlagend, die Männer, wild wie Tiere in der Erde scharrend. Dad hatte nicht genug Luft zum Sprechen, schaute aber, als ich ankam, mit wütendem und schmerzverzerrtem Gesicht zu mir hoch und stach dann weiter mit dem Spaten auf das Gras ein.

»Mrs. Rathman ist hier«, sagte ich, »und der Arzt kommt.« Es war leichter, die Hitze und den Qualm des Rauchs auszuhalten, als sie leiden zu sehen, und ich schlug auf das flache Gras ein, bis es eine Qual war, Luft zu holen.

Als die Flammen den ausgescharrten Graben erreichten, hielten sie inne, leckten und flackerten und gingen aus, sprangen nur an manchen Stellen doch noch hinüber, griffen nach den haarigen Disteln, erneut vorwärtsschießend und sich ausbreitend. Es war wie ein schrecklicher Albtraum vom Ende der Welt ... Dann erstarb plötzlich der Wind, die Flammen erlahmten, und der Rauch trieb nach oben anstatt in blinden Wolken auf uns zu. Der Mond wurde blasser, das Licht gräulich. Es war die Stunde vor der Dämmerung, wenn der Wind sich in solchen Nächten stets zu legen pflegte; und endlich kam eine leichte Kühle in die Luft. Als die Geräusche allmählich nachließen, hörten wir die Hähne krähen, schriller als sonst, unheimlich und alarmierend wie von einer anderen Welt.

Wir schlugen die letzten Flammen aus, und Merle häufte Erde auf einen glühenden Zaunpfahl. Die Drähte lagen quer über dem Feld, und die verkohlten Pfähle dazwischen glichen verbrannten Krähen, die sich in den Stacheln verfangen hatten.

16

Es war vorbei, aber der schwarze, zerstörte Wald war noch da und der pfostenlose Zaun, der große Heuhaufen dagegen verschwunden. In dem grauen Licht, das keine Quelle zu haben schien, sahen wir uns an und konnten nicht lachen – obwohl ich mich jetzt, wenn ich daran zurückdenke, weiß Gott, deutlich an Max' geschwollenes, von der Hitze lila geflecktes Gesicht und seine versengten Brauen erinnere und an Merles Beine, die so schwarz waren wie die verbrannten Felder, und auch ihre Haare waren versengt und hingen wie eine Mähne um ihr großes Gesicht. Vater drehte sich um, rief uns zu, wir sollten die Spaten nicht vergessen, und humpelte zum Haus zurück. Max folgte uns, laut vor sich hin grummelnd und fluchend, und rieb sich die juckenden Augen, bis sie wund waren. Wir hatten nicht das Gefühl, triumphiert oder gesiegt zu haben; spürten nur Erschöpfung und die furchtbare unnötige Verschwendung. Der Sieg hatte zu viel gekostet.

Ich blickte kurz zurück und sah den schwelenden Schlamassel, hörte es krachen, als ein toter Ast herunterfiel, und rundherum stieg in einer Wolke die Asche auf. Dies hinter uns, und vor uns die Angst um Mutter, und alles vernebelt vom Erschöpfungsschmerz. Vater stolperte voran, und ich hörte ihn Mutters Namen murmeln, wieder und wieder, wie einen Schwur oder ein Gebet, und einmal, als er gegen einen Stein stieß, rief er ihn laut aus.

Wir sahen, dass der Arzt gekommen war, und in ihrem Zimmer brannte eine Lampe, ein entkräftetes, kränkliches Gelb im aufgehenden Tageslicht. Vater blieb an der Tür stehen und zog sich die Schuhe aus, nahm dann wie in einem mechanischen, bedeutungslosen Ritus die Eimer hoch. Als der Arzt herauskam, begleitete er ihn zum Auto und blieb lange dort stehen, redete und hörte zu, den Blick auf den Boden gerichtet.

Die Kühe mussten noch gemolken werden, alles musste noch getan werden. Der Himmel wolkenlos, in der Luft schon wieder aufsteigende Hitze. Die schwüle Wärme einer dunstverschleierten Sonne. Völlig benommen vor Müdigkeit, ging ich zu den Ställen, doch Kerrin war schon da, lebhaft und aufgeregt, als wäre das Feuer in sie und hinter ihre Augen gefahren, und sie fuchtelte unentwegt mit den Armen und schrie die Pferde an. Sie begann sie herauszulassen, und ich sagte ihr, dass Dad sie doch heute vielleicht brauchen würde. Da drehte sie sich um und brüllte, sie müsse den Pferden Wasser geben, obwohl doch auf der Weide, auf die sie sie treiben wollte, gar keins war. Ich ging hinaus, um das Gatter zu schließen, und als ich zurückkam, sah ich, wie Grant an einem Strick herumfummelte, ihn mit einer Hand aufzuknoten versuchte, die andere steif ausgestreckt, schwarz bis auf den quer darüber verlaufenden Riss von einem Zaun. Kerrin war bei ihm, und was dann geschah, kam so schnell, dass es mir eher wie eine kurze, heftige Vision erschien. Sie pfriemelte an dem Knoten herum, den er nicht lösen konnte, da er zu festgezogen war, und auf einmal griff sie nach seinem Messer und hieb in den Knoten und sägte stümperhaft daran herum, bis er sich lockerte. Grant packte ihre Hand, um sie aufzuhalten. »Mach den Strick nicht kaputt«, warnte er sie. »Du wirst dich noch schneiden!«

Sie zuckte zurück, seine Hand noch auf ihrem Handgelenk, das Messer noch fest umklammert, und verdrehte dann so plötzlich ihren Arm auf den Rücken, dass sie seinen mitzog, und presste sich mit ihrem ganzen dünnen, schlaksigen Körper an ihn, einen Arm über seinen Schultern und das Gesicht an seinem schwarzen, vernarbten Hals. Ich sah Grants Gesicht, sah den Ausdruck, der darüber huschte, und schneller, als man gucken konnte, ließ er ihr Handgelenk los, und sie stolperte rückwärts, eine Hand noch auf seinem Arm und das Messer fest in der anderen. Ich schaute hoch und sah Vater in der Tür stehen, das Gesicht vom Feuer rot und wild, violett gefleckt und erhitzt, und die Haare quer über dem Kopf versengt, wo ein Ast ihn getroffen hatte.

»Was macht ihr hier?«, brüllte er. »Warum arbeitest du nicht, Grant? Was machst du da mit Kerrin?«

»Einen Strick retten«, sagte Grant und lachte. Er hätte noch mehr gesagt, aber Kerrin umklammerte jäh seinen Arm, drehte sich halb herum und schleuderte das Messer in Vaters Richtung, mit all dem alten Hass im Blick, und schrie Wörter heraus, die ich in meinem Leben noch nicht gehört hatte. Das Messer flog in weitem Bogen schräg gegen die Wand und fiel in den Staub.

Wenn ich mich jetzt daran erinnere, nach diesen letzten vier Monaten darauf zurückblicke, durch den Nebel all dessen, was uns seitdem zugestoßen ist, wirkt alles wie ein staubverwischtes Durcheinander von Füßen, und da ist Vater, der sich auf Kerrin stürzt, Grant, der ihn mit dem Arm aufhält und gegen die Wand stößt, und Kerrins hohe Stimme – »Bring ihn um, Grant!« – und Grant, der zurücktritt, Vater nicht mehr anrührt und sie anbrüllt, sie solle machen, dass sie wegkomme. Und Kerrin, die losrennt, nicht weil sie Angst vor Vater hatte – sie war jenseits von Angst, und alles war von ihrem Hass verschlungen –, sondern wegen des Klangs, des kalten, scharfen Tons in Grants Stimme. Sie rannte vorbei an Vater, der dort, wo das Zaumzeug hing, keuchend zusammengesackt war, und ich sah ihre Hand hinabschießen und etwas vom Boden auflesen.

Vater richtete sich auf und ging zum Haus zurück, nicht um Kerrin zu folgen, eher so, als hätte er vergessen, warum er hergekommen war.

Grant hob den Strick auf und warf ihn weg. »Was wird sie jetzt tun, Marget?«, fragte er mich und begann, entlang der Wand nach dem Messer zu suchen.

»Sie hat es mitgenommen«, sagte ich, und Grant verstand, was ich dachte, sprach es aber nicht aus. Dann gingen wir sie suchen, und Grant zerrte mich halb über die Steine. Ich war zu müde, um zu denken oder irgendetwas wichtig zu nehmen, wusste nur, dass getan werden musste, was getan werden musste, und folgte ihm, seine schwere Hand deutlicher spürend als die Sonne oder die Angst.

17

Hinterher, als ich mich mehr und mehr an den Gedanken gewöhnt hatte, zwangsläufig und aus dem Bedürfnis nach einer harten Schicht Seelenruhe zwischen mir und der gezeitenartig wiederkehrenden Dunkelheit, war ich froh, dass es an jenem Tag passiert war, und immerhin wusste ich, dass ihr Tod die eine gute Sache war, die Gott getan hatte. Es gab keinen Platz für sie. Wenn wir das Geld gehabt hätten, vielleicht hätten wir es dann geschafft, sie fortzuschicken. Sie hatte nie zu uns gehört, und womöglich gibt es auf der Erde keinen Platz für Menschen wie sie. Ich war froh, dass sie gestorben war. Anders konnte ich es nicht empfinden. Irgendetwas in mir war in jenen letzten Monaten hart geworden und vertrocknet. Etwas, was sich schon vorher verhärtet hatte, während unseres ganzen kargen, mühseligen Lebens.

Was uns erschreckte, war die Art, wie wir sie fanden, und die furchtbare Vollständigkeit des Todes. Es war das erste Mal, dass ich Kerrin ganz ruhig sah. Selbst im Schlaf hatte sie sich unablässig bewegt, sich gewunden wie eine rastlose Schlange, und wenn sie wach war, blieben ihre Hände und Augen nie still. Zuckten, flogen hin und her. Aber jetzt war sie vollkommen ruhig … Wir fanden sie erst nach langwieriger Suche hinter dem Schafstall, beim Wassertrog. Manchmal hatte Grant nach ihr gerufen, aber es kam keine Antwort, und wir dachten schon, sie wäre in den Wald gegangen und verschwunden, als wir sie plötzlich an der Stallwand liegen sahen, mit einem Arm über dem Trog, und das Blut aus ihrem Handgelenk färbte das flache Wasser.

Grant kniete sich neben sie und blickte dann hoch. Sie war schon tot, ihre Haut wie Papier straff über ihre Wangen gespannt. So dünn, dass es schien, als hätten wir ihre bloßen Knochen gefunden und der Rest sei schon zu Staub zerfallen. Ich konnte nicht weinen; aber Grants Gesicht war weniger hart, und als er sie aufhob, war kein Widerwille oder Zurückschrecken darin, und er trug sie, wie er ein Kind oder einen kleinen Hund getragen hätte.

Dad nahm es schwer. Mehr wegen der schnellen, effektvollen Art, wie sie es gemacht hatte, ein unerhörter Frevel gegen den Anstand, als aufgrund später Liebe zu ihr. Falls er es als einen letzten, verzweifelten Affront betrachtete oder sich selbst in irgendeinem Maß schuldig fühlte, zeigte er es nicht. Er war wieder draußen im Stall, als wir zurückkamen, und molk mit verbissener Ausdauer. Er hatte nichts gegessen und sich nur die Hände gewaschen, riesig und rot wie Handschuhe am Ende seiner schwarzen Arme. »Verschwinde«, murmelte er Grant zu und sah dann, was er in den Armen trug. »Wer hat das getan, Marget?«, fragte er immer wieder. »Was ist ihr passiert?« Er konnte nicht glauben, dass sie sich selbst umgebracht hatte. So roh und unnatürlich. Kein Mädchen hatte das Recht, so etwas zu tun. Dann wandte er sich Grant zu und beschuldigte ihn, sie betrogen zu haben. Geriet in fürchterliche Rage. Aber Grant blieb ruhig, hörte ihm zu wie einem wütenden Kind, und als Dad fertig war, fragte er, ob er meine, dass Mrs. Haldmarne es wissen müsse, oder ob wir es vor ihr geheim halten sollten.

»Besser nicht«, sagte ich. »Nur wenn sie fragt.«

»Was soll das heißen?«, sagte Vater laut, aber nicht mehr ganz so aufgebracht. »Hat sie kein Recht, über ihre eigenen Kinder Bescheid zu wissen? Hat sie kein Recht, zu erfahren, was hier los war?« Dann auf einmal änderte sich etwas in ihm, und er setzte sich. »Egal – macht, was ihr wollt. Lügt sie an. Ist mir egal. Bring mir was zu essen, Marget, ich komm nicht rein.«

Merle weinte, hatte aber keine Angst, sie zu berühren. Sie kämmte Kerrins zerzaustes rotes Haar und bedeckte ihre Handgelenke mit einem Tuch. Wir sagten Mutter nichts. Sie war ohnehin blind und zu krank, um aufzustehen und sie zu sehen, sie hatte noch nicht einmal gemerkt, dass der Arzt da gewesen war.

Später kam der Gerichtsmediziner, aber auch ihn bemerkte sie nicht.

»Kerrin war krank«, sagte ich zu dem Mann, »krank im Kopf. Sie war schon lange so. Und getan hat sie es wegen des Feuers und Mutters Verbrennungen und weil sie dachte, dass Mutter sterben würde.«

Vater sagte nicht viel, saß nur da und sah den Mann mürrisch an, ja schien von ihm zu fordern, dass er mehr herausfand. Grant saß neben Merle und beobachtete, wie er das Formular ausfüllte: *Kerrin Haldmarne … Tod von eigener Hand … eingestandener Suizid.* Einmal schaute Grant zu Merle, die ernst dasaß und keine Notiz von ihm nahm, so als wäre er gar nicht anwesend, nur darauf konzentriert, dass das Formular unterschrieben wurde, mit dem wir alle entlastet wären, befreit von Skandal und Justiz. Grant sah sie an und dann hinunter auf seine Hände; und im Kopf hörte ich wieder den Klang seiner Stimme, als die Verzweiflung eines Abends unerwartet aus ihm herausgebrochen war: »Marget, gibt es denn nichts, was ich tun kann? Manchmal ist es, wie halb gekreuzigt zu werden!« Wie konnte ich es ihm sagen, die ich nur *eine* Antwort darauf wusste?

Draußen die heiße, windstille Luft, das tote Ulmengeäst vor dem Himmel, der kleine Punkt eines dahintreibenden

Bussards. Selbst jetzt gingen meine Augen aus alter Gewohnheit auf Wolkensuche. Und hier, in dem heißen, stillen Raum, saßen wir alle betreten da, hassten diesen Mann, der uns weder glaubte noch eine Lüge nachweisen konnte. Endlich stand er auf und verstaute seine Papiere, und obwohl Merle ihn verabscheute, fragte sie ihn, ob er etwas essen wolle, denn sie wusste, was Mutter getan hätte. Er sagte ja – wenn es keine Umstände mache. »Keine Umstände«, sagte Merle. »Es ist schon fertig.« Sie nahm die Kaffeekanne vom Herd und schnitt ihm ein Stück von dem Kuchen ab. Er war dunkel und krümelig, und geistesabwesend aß sie selbst ein Stück, leckte sich die Krümel von der Handfläche und reichte dann auch Grant den Teller mit einem unpersönlichen und doch irgendwie mitfühlenden Blick. Grant nahm eine dünne Scheibe, zerrieb sie aber nur zwischen den Händen. Die ganze Situation hatte etwas Schauriges und Unwirkliches, ähnlich einem Trauermahl oder einer Totenwache. Ich wünschte bei Gott, der Mann würde aufstehen und gehen.

Er aß zwei Stücke, und ich konnte nicht umhin zu denken, dass die Melasse fast verbraucht und nur noch wenig Zucker übrig war, und grollte ihm. »Danke«, sagte er zu Merle, stand auf und wischte sich den Mund ab. Wir machten ihn nervös, wie wir da so herumsaßen. Außer Merle sagte niemand viel, nur einmal fragte Vater ihn, ob der Maispreis wohl anziehen würde. »Weiß nicht, ist nicht mein Gebiet«, antwortete er. »Ist schon hoch genug für diejenigen, die ihn kaufen müssen. Ihr Farmer habt ja immer was zu essen. Wenn das nichts ist.«

Als er endlich gegangen war, musste schon wieder gemolken und das Abendessen zubereitet werden; und diese immer gleichen, vertrauten Dinge zu tun hatte etwas Erleichterndes.

18

Kerrin wurde oben auf der alten Haldmarne'schen Grab-stätte beerdigt. Es gab keine Trauerfeier, Gott sei Dank.

Am Abend nach der Beerdigung kam Grant zu mir he-runter, als ich die Schafe tränkte. Er stand da und sah zu und wirkte, als hätte er ein wenig Frieden gefunden. Ringsum war es still, und es dunkelte schon. Da fing er an zu reden, plötzlich und zornig, während er auf den leichten Staub unter den Füßen der Schafe sah. »Weißt du noch, was Merle mal über Max gesagt hat? Dass er gern bei den Scha-fen und Schweinen ist, weil sie noch dümmer sind als er selbst? So geht es mir auch, glaube ich. Zumindest liegt eine leise Ironie darin, klüger als Schafe zu sein.«

»Es ist mehr als das, Grant«, sagte ich. »Bei dir jeden-falls —« Es schien hohl und allzu offensichtlich, das zu sagen. Kein bisschen hilfreich. Aber so kannte ich ihn gar nicht. Grant war nie arrogant gewesen, doch nie zuvor so bitter gegen sich selbst. Es jagte mir Angst ein, weil er sich damit zu einem anderen, geringeren Mann machte. Und ich wollte an seine Stärke glauben, wollte fühlen, dass an ir-gendeinem Ort alles in Ordnung war. Ich wollte nicht glauben, was ich wusste.

»Sie vertrauen dir, darin liegt doch etwas sehr Heil-sames«, sagte ich.

»Sie würden allem vertrauen«, sagte Grant. »Allem, was menschlich ist.«

Ich wünschte, er würde weggehen, außer Sichtweite. Nicht mehr hier sein, so nah, dass ich fast mit dem Eimer gegen ihn stieß, und doch fast ein ganzes Leben entfernt.

Dann sagte er mir, dass er in der Woche darauf für immer fortgehen werde.

»Wegen Dad?«, fragte ich ihn.

»Wegen Merle«, sagte er.

Ich fragte ihn, wo er hingehen wolle. Ich kann die Wörter jetzt noch hören – leise, für sich allein stehend, hatten sie nichts mit meinem heißen, kranken Herzen zu tun. »Wo willst du hingehen, Grant? Was wird Dad machen?«

»Ich gehe wieder in den Norden«, sagte er. »Suche mir da eine Bleibe. Max kommt zurück und hilft euch. Er hat mal wieder keine Arbeit.«

»Max war manchmal ein guter Arbeiter«, sagte ich. Ich ließ den letzten Eimer leer tropfen und hängte ihn an den Nagel. Ich konnte nicht sagen: »Gott behüte dich!« Es wurde dunkler dort bei den Ställen, und etwas in mir brach und drängte, wollte tun, was Kerrin getan hatte, alles andere vergessen und just das tun, ihn berühren und jeden noch so kleinen, noch so sauren Trost daraus ziehen – da war diese schreckliche Liebe, das weggesperrte Verlangen, die Übelkeit im Hals … Lass mich los – lass mich! O Gott, bitte! … und der Verstand dagegen kalt und hart und doch furchtsam: Das kannst du nicht tun … das kannst du nicht tun … du kannst es nicht. Es stimmt nicht, dass der Körper ein Gefängnis ist! Der Verstand ist es, ich sage es euch! Immer ist der kalte, starke Verstand der Kerkermeister. Ich spürte, wie es in meiner Kehle hämmerte, und meine Hände zitterten wie altes Laub. Ich rannte aus dem Stall und ließ ihn stehen. Ich weiß nicht, was er dachte. Ich weinte, und es tat weh zu weinen. Ich fühlte mich krank und voller Hass, weil ich ihn liebte.

19

Der Tag, an dem Grant fortging, war wie alle anderen. Staub und Hitze und die Hässlichkeit der sterbenden Ahorne. Ich redete mir ein, dass ich froh über sein Fortgehen war. Dass der Tod etwas Würdevolles hatte. Dieses Halbleben war zu schwer, meine Scham, die Angst, mich zu verraten, zu groß. Ich wäre lieber gestorben, als mir anmerken zu lassen, wie sehr ich ihn liebte. Das war dummer Stolz. Wer war ich schon, dass es eine Rolle gespielt hätte, was ich dachte und empfand? Was hatte ich, das unangetastet bleiben musste? Jetzt werde ich Frieden finden, sagte ich mir. Ich kann lernen, es zu akzeptieren, mich frei fühlen, noch einmal von vorn anzufangen und das Leben auf etwas anderem aufzubauen, auf mehr als seinem Anblick, womit ich bis dahin ein bitteres Auskommen gehabt hatte. Ich musste vor Mangel ganz ausgetrocknet sein. In jenen Tagen konnte ich nichts mehr fühlen. Ich sah Dinge und tat Dinge und sah manchmal den Ausdruck auf Grants Gesicht, wenn er mit Merle sprach. Und dachte dann – nächste Woche geht er fort; doch es war, als dächte ich an jemand anders, der mir nur vom Namen her bekannt war und sonst nichts weiter bedeutete. Vater sagte, er sei froh, dass Grant gehe, und er würde gut ohne Hilfe zurechtkommen. Er wusste, dass das gelogen war, behauptete es aber, um sich etwas Würde zu bewahren, doch insgeheim graute ihm davor, wieder allein mit uns zu sein.

Grant übernahm an dem Abend das Melken und kam auf die Veranda, um sich zu verabschieden, während Vater in der Milchkammer war. Es gab wohl manches, was ich hätte sagen können. Aber ich fühlte mich plötzlich wie eine Fremde, als hätte Grant mir nie etwas von seiner Liebe zu Merle erzählt oder von all den anderen Dingen, über die wir gesprochen hatten.

»Wo ist Merle, Marget?«, fragte er und dann: »Lass nur, ruf sie nicht.« Er streckte auf eine linkische, förmliche Art die Hand aus, lachte aber dabei. »Leb wohl, Marget«, sagte er. »Ich hoffe bei Gott, dass eure Mutter bald wieder gesund wird!«

»Das wird sie«, sagte ich. »Ich zweifle nicht daran, Grant.« Ich meinte noch gesagt zu haben: »Komm wieder, wenn du kannst«, muss die Worte aber wohl nur gefühlt haben. Grant stand da und blickte mit seinem gutmütigen Lächeln auf mich herunter, weil er annahm, ich hätte erst angefangen zu sprechen und sei noch nicht fertig. Dann, als ich nur so dastand, streckte er erneut die Hand aus.

»Kein Farmer wird es je leicht haben«, sagte er, »aber ich wünschte, für euch würde es einfacher.«

»Wir werden's schon schaffen«, sagte ich. »Es ist eine angenehmere Art, Geld zu verlieren, als die meisten anderen.«

Er lachte und brach auf, hielt aber am Tor, wo Merle stand, inne. Sie drehte sich um und ging mit ihm den Zaun entlang bis zur Straße, und er winkte kurz mit seinem Hut, bevor er aus unserem Blickfeld verschwand.

Ich ging ins Haus, starrte die Marmeladengläser an und sah hierhin und dorthin, hob eine Staubmaus auf, die neben einem Tischbein lag, sah sie deutlich und sah sie doch nicht. Dann hörte ich Mutter sprechen und ging zu ihr ins Zimmer.

DRITTER TEIL

Jahresende

1

Er war fort, und ich musste es akzeptieren, es fest in mir verschließen und aufhören zu leiden. Man stirbt nicht an Verlust. Nur ein Teil von einem stirbt.

Der fünfte Monat der Dürre begann mit nichts als Wolken und dem Hohn einer Stunde Nieselregen. Nichts, was den Boden mehr als ein paar Zentimeter tief getränkt hätte. September jetzt, und die Felder karger als im Winter. Die Weiden, wo einst Maultiere und Schweine gewesen waren, nicht einmal mehr mit sterbendem Gras bedeckt. Sie waren bis auf die Erde abgefressen und sahen aus wie das Fell eines räudigen Hundes. Selbst die Scheinastern waren verwelkt. Im Umkreis von anderthalb Kilometern war nichts als Besenkraut auf den Feldern geblieben, staubgrün und pollenschwer. Die Johannisbrotbäume im Südwald starben gemeinsam. Kleine goldene Blätter fielen wie durch ein Sieb, staubbedeckt. Ein grausiger, kranker halber Hektar voll sterbender knorriger Bäume und unter ihnen die sterbenden Scheinasternstrünke. Die toten Ulmenblätter hingen herab wie schlafende Fledermäuse.

Mutters Zustand wurde weder besser noch schlechter. Sie litt immer weiter. Ich glaube nicht, dass der Arzt viel Ahnung hatte. Als ihre Haut an einer Stelle schwarz wurde, begann er besorgt zu wirken. »Wenn sie geheilt wird«, sagte Merle, »wird es mehr an ihrem eigenen Willen liegen als an dem Zeug, das er verwendet.« Wir hatten kein Geld, um jemand anders zu bezahlen, selbst wenn es irgendwen gegeben hätte. An den Abenden saß ich bei ihr, und zuerst war es fast zu schwer. Die Schmerzen, die sie durchlitt, waren einfach furchtbar. Stunden- und tagelange Qualen, genug, um ihr den Verstand zu rauben, und doch sprach sie nur selten davon. Manchmal meinte ich, selbst schreien zu müssen, so sehr litt ich für sie, halb wahnsinnig vor Mitgefühl und Hilflosigkeit. Aber es gibt eine gnadenreiche blinde Haut, die sich bisweilen über das Herz legt. Man kann so und so viel ertragen, und dann kommen Phasen der Härte. Sie würde gesund werden. Ich konnte nichts anderes glauben, nicht länger mitleiden oder um sie bangen. Irgendwie vertraute ich darauf, dass ihr Tod etwas war, was uns nie widerfahren würde. Der Arzt sagte, es gebe Hoffnung, und an manchen Tagen fanden wir, dass sie besser aussah, und die Verbrennungen schienen ihr weniger Schmerz zu bereiten. Sie selbst hatte keinen Zweifel, keine Angst. Sie redete darüber, was wir diesen Winter tun würden, wenn draußen weniger Arbeit anfiel.

Unser Leben schien nur noch ein langes Warten zu sein, ein Warten darauf, dass sie gesund würde – ein Vakuum, in dem wir uns bewegten und unseren Dingen nachgingen, aber nichts war wie sonst. Ich fühlte mich verloren, und Merle schien plötzlich älter geworden zu sein, wie aus einem lebendigen Schlaf geweckt. Weder Grants Liebe noch Kerrins Tod hatten sie so sehr verändert wie das. Sie vermisste Grant, aber nur als jemanden zum Anlehnen. Vermisste seinen trockenen, bissigen Humor. Sie wusste, warum er fortgegangen war, und war nach jener Feuernacht nie mehr so gleichmütig und unbeschwert wie vorher. Doch war sie zu beschäftigt, um viel darüber nachzugrübeln, und hatte den Kopf zu voll von der Sorge um Mutter, als dass Raum geblieben wäre für Gedanken an ihn. Ich sage das, ohne es zu wissen, nur schien es mir so. Eines Abends lief sie stundenlang draußen herum und kam gereizt und unruhig zurück, was ungewöhnlich für sie war, die bloß Feuerholz klein zu machen und hereinzuholen brauchte, um sich von dem Mückengewimmel in ihrem Kopf zu befreien. »Es liegt am Staub – dem verdammten Staub –, der dringt einem fast ins Mark«, sagte sie. »Es ist ja nicht mal mehr was zum Anschauen übrig!«

Vater war bedauernswert. Er fragte jeden Morgen: »Wie geht es ihr?«, und schien mit seinem Blick zu fordern, dass wir ihm sagten, es gehe ihr gut – sie sei vollkommen genesen. Ich glaube, er erwartete das jeden Morgen. »Nicht besser« oder »Unverändert«, sagte Merle dann, und er ging mit einem Gesichtsausdruck hinaus, als hätten wir ihn auf irgendeine Art betrogen.

Die Tage waren ruhig, seit Kerrin und Grant nicht mehr da waren. Bei Trost bleiben und das Leben erträglich finden konnte ich nur, indem ich mich manchmal aus dem Haus und auf die Felder flüchtete. Es heilte mich nicht – weder von der Erde noch von der Liebe noch von irgendetwas anderem allein kommt Heilung –, aber ohne das wäre ich gestorben. Wenn ich laut geschrien und gekreischt hätte, dass ich es nicht ertragen könne, hätten sie geglaubt, ich wäre verrückt geworden; dabei ist es das Schweigen, das wirklich verrückt ist, das Stummbleiben, Stillhalten, Weitermachen, als wäre alles wie immer. Es gab niemanden zum Reden. Ich konnte meine Angst nicht der von Merle hinzufügen, noch konnten wir über Grant sprechen.

2

Eines Abends ging ich zum Teich auf der Nordweide. Selbst in den Nächten war es wieder heiß. Die warme Luft war verbraucht und flau, und es dauerte lange, bis der Südwind etwas Kühle brachte. Der Mond schien, und die Sterne waren blass, selbst die Sternbilder schwach. Ich konnte den Staub auf den Blättern sehen und auf der Straße um meine Füße herum spüren. Die Maisstängel sahen aus wie weiße Skelette. Ich dachte auf eine sinnlose, sentimentale Art an die Abende zurück, an denen ich mit Grant auf dieser Straße und durch die trocknenden Papausträucher gegangen war. Es gab keine Berührung von ihm, an die ich mich hätte erinnern können – nur seine Worte; und Worte sind etwas Kaltes, Grabähnliches, möglich, dass sie länger halten als selbst die stärkste und leidenschaftlichste Berührung, aber sie sind steinern. Es gab wenig, was Grant noch nicht gesehen oder gehört hatte, und er redete immer sehr viel, zumal ich lern- und wissbegierig war. Ich konnte mich an diese Dinge erinnern und an das Geräusch seiner Stimme, schwer und benebelnd, doch all das war jetzt kein Trost. Die furchtbare Einsamkeit war schlimmer als selbst in den ersten Tagen, nachdem er fortgegangen war ... Beim Teich blieb ich stehen und starrte auf das Wasser, schwarz und mondhäutig, und auf die Froschaugen, die in Ufernähe wie Funken blitzten. Der Teich war geschrumpft und hier und da schlierig.

Es musste doch eine Möglichkeit geben, sich über den Schmerz hinwegzusetzen. Die Tage halfen meistens, aber in der Dunkelheit schlich er sich an, kam zurückgekrochen, schlug hart zu, sobald das Licht verschwunden war. Ich schlief, wachte am Morgen auf und dachte: »Heute Abend kann ich wieder schlafen.« Das war doch keine Art zu leben! Die Tage bloße Wüsten, zwischen Nacht und Nacht zu durchqueren. Ich setzte mich ans Teichufer und versuchte, zu einer Lösung zu kommen, fand aber keine, sondern fragte mich nur, ob Dad morgen an die Ställe denken würde oder ob ich ihn wieder daran erinnern müsste und ob die Stangenbohnen zu trocken waren und wie lange eine von Merles Gänsen hinreichen würde, wenn wir sie schlachteten. Ich stritt mich im Kopf lange mit dem Arzt. Ich gab ihm fünf Gänse und versprach ihm ein Kalb, wenn denn je eins käme. Er lehnte immer wieder ab, und ich führte das lange, dumme Gespräch mit ihm fort, schaute auf den Teich und wusste die ganze Zeit, dass ich ihn sowieso mit Geld bezahlen, ihm nicht einmal Kartoffeln zum Tausch anbieten würde. Dann fiel mir der Abend vor sechs Monaten ein, im April, als ich hierhergekommen war. Fast musste ich lachen, als ich an meine törichte kleine Aufregung von damals dachte. »Dieses Jahr wird besser … anders!« Ich fand bitteren Gefallen an der Ironie.

Nach einer Weile aber wurde mir in dem weißen Licht und dem Nachtwind ruhiger zumute. Fast friedlich. Fast so, als lägen diese Dinge hinter mir. Große vergiftete Schatten in einem Traum, der jetzt zu Ende war.

Ich kehrte spät zurück, sah noch Licht im Fenster von Mutters Zimmer und hörte im Näherkommen das scharfe, schreckliche Geräusch, das sie manchmal machte, als hustete sie eine Nadel aus. Und alles war wie vorher. Real und nicht zu Ende und immer noch zu durchleben.

3

Der Steuerinspektor kam im Oktober, an einem Tag, als Dad unten am Bachgrund ein, zwei Hektar pflügte, wo der Boden nicht nur aus Steinstaub bestand. Er hatte zu viel zu tun, seit Grant fort war, aber niemanden um Hilfe gebeten. »Ich komm zurecht«, sagte er mir. »Ist ja sowieso alles tot. Nur die Kühe sind noch da.« Der Gemüsegarten sah wie ein Friedhof aus mit all den noch nicht eingegrabenen Sachen, und es gab weiterhin mehr als genug Arbeit. Er schien sich nicht konzentrieren oder entscheiden zu können, was er machen wollte. Brauchte für alles doppelt so lange. »Ich muss die Wände tünchen«, hatte er an jenem Morgen gesagt, eine halbe Stunde lang sein Zeug zusammengesucht und es dann liegen gelassen, um jene ein, zwei Hektar zu pflügen.

Braille sei sein Name, sagte der Mann. Er hatte die Papiere dabei, die wir ausfüllen mussten. »Sie haben viel gutes Land«, sagte er. Ein großer, kahlköpfiger Mann, der nervös keckerte und nicht unfreundlich wirkte. »Und ein gutes Haus.« Dad listete seine Kühe und Pferde auf, und auf einem Stück Papier schien es viel. Die Pflüge und der Traktor ... hundert Schafe, neun Schweine ... hundert Hühner. »Wo ist Ihr Wagen?«, wollte Braille wissen. Mochte es nicht glauben, als Dad sagte, es gebe keinen. »Sie sind ziemlich gut dran«, sagte er. Schaute zum Obstgarten und zu den Scheunen.

»Ziemlich *schlecht*«, sagte Dad. »Die Scheunen da sind leer. Das Silo bloß dreiviertel voll. Ich muss diesen Winter Futter *kaufen*. Hab mir zweihundert geliehen, um die Molkerei zu reparieren, und verdiene im Monat weniger dran, als was ich Ihnen jetzt deswegen zahlen muss.«

»Das ist nicht gerade ermutigend«, sagte der Mann. »Ich habe da draußen ein Maultier gesehen, das Sie nicht aufgelistet haben.«

»Das gehört mir nicht!«, rief Dad. »Ich lass es hier nur für Rathman weiden.«

»Dann benutzen Sie's wohl auch nicht?«, fragte Braille. Sah Dad an und zwinkerte mit einem Auge. »Der letzte Farmer, den ich besucht habe, hatte vier Streuner – die ziehen nur vorbei, hat er gesagt, und dass er sie grasen lässt. Vielleicht schau ich da nächste Woche noch mal vorbei und sehe nach, ob sie weitergezogen sind!«

Dad lachte nicht. »Ich hab kein Geld, mit dem ich Steuern zahlen könnte«, sagte er. »Sie verschwenden Ihre Zeit mit Ihren ganzen Zahlen.«

»Wo wären Ihre Schulen?«, fragte Braille. »Wo wären Ihre Straßen, wenn keiner zahlen wollte?«

Dad streckte die Hände aus und zuckte mit den Schultern. »Weiß ich nicht, Mann!«, sagte er. »Und es kümmert mich gerade auch nicht groß. Ich will bloß eine Chance haben zu leben, ohne alles, was ich verdienen kann, gleich mit vollen Händen wieder wegzugeben. Was ist das denn alles wert?« Er zeigte herum. »Das bringt ja nicht mal so viel ein, wie es kostet!«

»Aber Sie wollen's doch behalten, oder?«, sagte Braille. »Ist das hier nicht der Ort, wo Sie leben wollen? Na, dann müssen Sie auch dafür bezahlen.«

»Sie reden so, als wär's schon eine Sünde, bloß zu leben«, platzte Merle heraus. »Als müsste man Buße dafür tun!«

Brailles Miene war wie eine unbeschriebene Tafel, und er schüttelte den Kopf. »Kein Verbrechen«, sagte er. »Sie müssen nur zahlen, das ist alles.«

»Besorgen Sie mir Geld«, sagte Vater, »dann zahl ich auch. Wenn einer kein Einkommen hat, wie soll er dann eine Grundsteuer zahlen?«

»Das kann er dann wohl nicht«, sagte Braille. »Aber er muss.« Er rollte seine Papiere zusammen und stieg ins Auto. »Auf Wiedersehen«, sagte er. »Ich denke, ich habe alles aufgeschrieben.«

»Das haben Sie wohl«, sagte Merle. »Ich hätte nie gedacht, dass wir so viel besitzen. Da kann man ja wirklich von Glück sagen!«

Braille grinste und fuhr los. Er schien ein recht freundlicher Mann zu sein. Nicht stahlhart. Keiner, dem es bestimmt war, überall, wo er hinging, eine Spur von elendem Hass zu hinterlassen.

Vater stand da, sah ihm nach und ging dann zum Stall, redete vor sich hin und rüttelte am Eimer. Es war schrecklich, ihn so zu sehen. Vater, der früher so selbstsicher gewesen war, wenigstens das – und sich nun nicht mehr wehrte. Der jammerte, anstatt zu toben. Sich in kleinlichem Hass verausgabte und von Sorgen zerfressen war.

4

In der Woche darauf verkaufte er fast alle Rinder in der Hoffnung, so die Steuern zahlen zu können, zumal die Weiden ja alle verdorrt waren. Sie waren nicht sehr fett, und wir mussten Max für den Transport in die Stadt bezahlen, und einiges floss in die Eilbeförderung. Wenn wir sie noch behalten hätten, um sie zu mästen, hätten wir alles verloren, und auch so bekamen wir kaum genug für Seife und Nägel. Ich dachte – und hoffte –, Dad würde an dem Abend, als er seine Zahlen zusammenaddierte, in lautes Wutgeschrei ausbrechen. Er war so tief in sich versunken, dass es eine Erleichterung gewesen wäre, ihn brüllen oder fluchen zu hören. Aber alles – das ganze Gewitter – fand in seinem Inneren statt. Er warf das Buch in die Schublade und ging hinaus zur Scheune.

Mutter fragte, was passiert sei; sie konnte allein an seinem Gang erkennen, wie wütend er war. Ich antwortete ihr, wenn auch zurückhaltend: »Er hat weniger bekommen, als er gedacht hatte.«

Mutter machte eine gequälte, ungeduldige Geste. »Warum sagst du mir nicht alles, Marget? Wie viel hat er verloren?«

»Wir haben zwei Dollar verdient«, sagte Merle, »an neunzehn Rindern. Das Viehgeschäft ist sehr gut. Nächstes Jahr könnten wir es mit zwanzig versuchen und im Herbst eine große Spülbürste kaufen.«

Mutter wirkte besorgt. Manchmal verloren sich ihre Gedanken in einem Schmerzgespinst, und sie machte sich keine großen Sorgen, an diesem Abend aber schien sie ganz klar und durchaus in der Lage, mit anderen mitzuleiden. »Sieh zu, dass er sich mehr ausruht«, sagte sie. »Er ist zu erregt. Die Arbeit bringt doch ohnehin so wenig ein. Eines Tages wird er das sehen. Isst er genug?«

Er esse ziemlich gut, sagte ich. Fügte nicht hinzu, dass es bald nicht mehr viel zu essen geben würde.

Sie schien damit nicht zufrieden, war aber zu müde, um weiterzusprechen. »Sag ihm, er soll sich ausruhen«, wiederholte sie, verstummte dann und schaute aus dem Fenster.

5

Sie starb in jener Nacht. Das war vor einem Monat, Anfang Oktober, als die Herbststürme einsetzten. Die ersten Regenfälle seit Februar. Einst dachte ich, es gäbe Worte für alles außer der Liebe und atemberaubender Schönheit. Jetzt weiß ich, dass es noch etwas drittes Unbeschreibbares gibt – das Gefühl des Verlusts. Es gibt keine Worte für den Tod.

Am Abend nach ihrer Beerdigung ging ich hinaus und lief kilometerweit durch die Dunkelheit. Es war kalt und feucht. Nebelkälte und Luft wie im winterlichen Sumpf. Laub, das nass in den Wagenspuren lag. Ich weiß nicht, wie weit ich ging – Stunden die dämmrigen Straßen entlang; doch diesmal vermochte die Dunkelheit die in mir aufgebrochene Leere nicht zuzudecken oder zu füllen. Ich konnte mir nichts mehr vormachen, nicht mehr hoffen oder blind an das Gute glauben. Es war alles verschwunden. Der Glaube weggefegt wie ein kleiner Grashaufen und nichts mehr da, wofür es noch zu leben, worauf es zu warten lohnte. Gott war nur ein Name, und der Sinn dieses Namens war ihr Leben gewesen. Jetzt war nichts mehr übrig … An einem Abend vor acht oder neun Jahren hatte sich zum ersten Mal ein Schatten dieses gewaltigen Verlusts und Zweifels gezeigt, das fiel mir jetzt ein, als ich durch die nutzlose Dunkelheit nach Hause stolperte. Ich hatte sie miteinander reden hören, Dad müde und gereizt, nachdem er seinen Mais für weniger als den Preis eines Pflugs losgeworden war. »Herrgott! *Wollen* die nicht, dass einer sein Land bestellt?«, sagte er. »Was glauben die denn, wo der Mais herkommen soll, wenn sie uns von unserm Land wegdrängen? Essen müssen sie doch weiß Gott auch!« Und dann Mutters Stimme in der Dunkelheit, heftig und halb weinend: »Sollen sie doch Alligatorkraut und Ackerrade essen! Die wachsen wild.« Ich hatte Angst vor dem Ton in ihrer Stimme. Als wär all ihr Vertrauen, all ihr Glauben weg und wir müssten mit Wind und Leere fertigwerden, und auch sie wie wir anderen wäre beim Hassen und Zweifeln angelangt. Ich wartete darauf, dass sie weiterreden und ihm sagen würde, es sei nicht so schlimm, nächstes Jahr würde es besser werden ... Aber sie blieb still und sagte gar nichts mehr. Damals verstand ich nur ansatzweise, was mir jetzt, am Abend nach ihrer Beerdigung, vollends klar wurde – dass ich geglaubt hatte, weil sie glaubte, und wenn sie den Glauben verlor und zu uns in die Dunkelheit kam und dort in keinem helleren Licht herumtappte als ich, dann war mein ganzer blinder Glaube an das Gute dahin ... Doch all das war nichts neben dem unerträglichen Gefühl des Verlusts.

6

Ihr Tod ist jetzt fast zwei Monate her, und wir haben weiter-gelebt. Es ist November, und das Jahr stirbt schnell in den Stürmen. Keine Blätter mehr an den Ahornen, und der Boden gold. Die gepflügten Felder auf den Hügeln um uns her vernarbt. Man hat uns die Hypothek verlängert, aber das heißt nicht, dass wir frei wären oder sich viel verändert hätte. Es heißt nur: mehr Zeit zu leben, etwas länger zu kämpfen, die Angst in eine unbestimmte Zukunft verscho-ben.

Ich erkenne in unserem Leben weder Ebbe noch Flut, keinen großen Erdrhythmus. Es ist nichts Majestätisches an unserer Lebensweise. Die Erde vollführt gewaltige Dre-hungen, aber wir zucken auf ihrer Oberfläche herum wie Stechmücken, vollauf beschäftigt und von einer Masse klei-ner Dinge überwältigt – jenem Wirrwarr, das unser Leben ist und uns daran hindert, wirklich lebendig zu sein. Wir sind müde, unsere Tage in tausend Teile zersplittert, unsere Jahre in Tage und Nächte zerhackt und unterbrochen. Unsere Lebensstunden den Lebensjahren entrissen. Gestoh-lene Zeiten und Dinge wegen – ja wegen was? Jener ande-ren Dinge, die notwendig sind, um das Leben erträglich zu machen? Satt, sauber und eingekleidet, um die Zeit zu ge-nießen, die nicht mit Waschen, Kochen und Anziehen ver-streicht ... Thoreau hatte recht. Sogar genauso recht wie Jesus, als er sagte: *Darum sollt ihr vollkommen sein, gleichwie euer Vater im Himmel vollkommen ist.* Und war uns genauso weit voraus.

Wir haben keinen Grund, zu hoffen oder zu glauben,

und tun es trotzdem, denn das müssen wir, und finden Frieden in den spärlichen Momenten der Hingabe und Schönheit in all ihren verzerrten Formen, nicht rein, unverdorben, sondern stets mit sauren Kartoffelschalen oder einer Augustsonne vermischt.

Was wir tun werden, ist keine Frage. Das liegt so klar vor uns wie die toten Felder. Wir sitzen nicht tiefer in der Falle als alle anderen. Nur in dem Maße, in dem das Leben selbst eine Falle ist. Wie viel von dem, was uns geschah, geschah uns recht? Gab es irgendetwas, was wir hätten tun können und nicht getan haben? Gott – wenn man zu sagen beschließt, dass die Dürre Gott ist – gegen uns. Die Welt gegen uns, nicht willentlich vielleicht, eher auf eigennützige als auf boshafte Weise, erst allmählich begreifend, dass wir keine Feinde oder Pflugscharen sind. Und wir gegen uns selbst. Es ist nicht möglich, vollkommen allein weiterzumachen. Vater erkennt das jetzt vielleicht, ein wütendes, spätes Erkennen. Wir können vorwärtsgehen; der Weg ist klar genug. Es ist nur so, dass diese Straße zu hohe Böschungen hat und zu viel Staub.

7

Ich bin heute Morgen zu den Rathmans gegangen. Es ist acht Monate her, dass ich damals im Mai bei ihnen war, ein wenig neidisch und voll törichter Hoffnung. Aber jetzt ist weder Hoffnung noch Neid mehr übrig.

Lena benehme sich besser, erzählte mir die alte Dame. Aber sie wirkte nicht froh. »Komm rein und sag Papa guten Tag«, forderte sie mich auf. Der alte Rathman lag dort auf seiner roten Decke, verschrumpelt wie eine Schote. Seine Augen waren trüb und mit einer Haut überzogen, aber einen Moment lang wusste er, wer ich war. »Pop sieht dich immer mit der Post vorbeigehen«, sagte Mrs. Rathman. »Manchmal erkennt er dich, wenn er nicht ganz weggetreten ist.«

»Ich wollte ein paar Eier holen«, sagte ich zu ihm. »Unsere Hennen legen im Moment nur wenig. Die von andern auch.«

»Die von andern auch«, sagte er mir nach. »Niemand hat irgendwas. Aber du bist jung – nicht wie ich. Du kannst noch was tun. Liegst nicht bloß rum, alt wie ich … zu nichts nütze … ich kann nichts tun …« Er wiederholte es ein ums andere Mal, wie eine vor langer Zeit gelernte Lektion – vergaß, dass ich da war, und drehte den Kopf weg. Ich konnte ihn noch murmeln und sich hin und her wälzen hören, als wir aus dem Zimmer gingen.

»Manchmal ist er ganz klar«, sagte Mrs. Rathman. »Was Lena wütend macht, ist sein Gebrüll.« Sie holte mir die Eier, wollte aber kein Geld nehmen. »Bring mir einfach ein paar, wenn ihr welche habt.« Sie begleitete mich an die Tür, und ihr Lächeln war irgendwie grau, ihr rundes Gesicht geduldig und resigniert. »Vielleicht wird das nächste ein besseres Jahr. Es kommt ja nichts zweimal gleich …«

Dann war ich aus der heißen Küche draußen und wieder auf der Straße. Die jaulenden, an ihren Ketten reißenden Hunde mochten dieselben sein wie die, vor denen wir als Kinder Angst gehabt hatten. Alles hätte dasselbe sein können wie zu jener Zeit – die weißen Gänse und die Jagdhunde … die in den Furchen versunkenen Kohlköpfe … Max' Wagen, lang, grau und sinnlos groß … die in der Laube zum Verkauf ausgelegten Kürbisse, auf einer Bank, aber ohne Schild. Eine Katze kam aus den verwelkten Fliederbüschen und versteckte sich unter der Veranda. Ich sah uns wieder die Straße entlanggehen auf dem Weg zur Post, Kerrin wie ein langer roter Kranich voraus, die schwarzen Strümpfe faltig verrutscht und schmutzig, den langen Hals vorgereckt, ein wildes, wehmütiges Lied singend; und Merle und ich hinter ihr, ohne Eile, mit dem Fuß Steine vor uns her stoßend und dann und wann stehen bleibend, um getrocknete Distelsamen auszustreuen, sie sorgfältig und ohne bösen Willen auf der herbstgepflügten Erde zu verteilen. Und wie wir dann schnell und mit mulmigem Gefühl an dem Haus vorbeiliefen vor Angst, dass der alte Mann uns sehen und aufhalten würde, um mit uns zu reden, und Sachen sagen würde, die wir nicht verstanden oder nicht schnell genug beantworten konnten, auch seinen spöttischen Blick und sein Geschnatter fürchtend …

Als ich zurückkam, saß Vater noch genauso da wie vorher, Walnussberge auf dem Hackklotz vor ihm. Er drehte sich zu mir um und beäugte mich mit diesem argwöhnischen Blick, als wollte er etwas bestreiten, was noch gar nicht gesagt worden war, und lächelte auf eine freudlose, starre Weise.

»Knöpf deinen Mantel zu, Marget«, sagte er. »Es ist kälter, als du meinst. Feuchtkalt.« Er sah wesentlich älter aus in dem Licht, so sehr gealtert, dass er fast Rathman glich, wie er da mit seinen arthritischen Händen die schwarzen Schalen aufbrach.

Ich hüllte mich fester in den Mantel, obwohl die Luft mild wirkte, irgendwie dumpf und weich. »Merle wird dir einen Kuchen damit machen«, sagte ich. »Sie wird sich freuen, wenn sie sieht, dass sie schon geknackt sind.«

»Soll sie wohl«, sagte Dad. »Ist ziemlich harte Arbeit … ziemlich harte Arbeit …« Er murmelte es immer weiter vor sich hin, so wie Rathman es getan hatte – eine lebendige Parodie jenes anderen alten Mannes, der nutzlos in seinem Bett lag. Und ich sah mit furchtbarer Klarheit, wie Vater bald sein würde. Alt und quengelig und zu nichts weiter fähig, als in der Sonne Bohnen zu schälen. Und ich sah, wie es dann allein an Merle und mir wäre, die Schulden zu tragen – wie viele Jahre, wusste ich nicht, aber eine lange und ungemessene Zeit. Vielleicht ein Leben lang … Ich ging an ihm vorbei und auf den Hügel, von dessen Rand aus wir früher immer auf den Obstgarten hinabgeschaut hatten, im Frühling, wenn er aussah wie eine Wolkenschlucht. Jetzt waren da nur die trockenen, grau-orangenen Äste, die wie Büsche im Wind hin und her geweht wurden und doch noch schön aussahen, sauber und scharf umrissen wie alles Winterliche. Und da war das kalte Feuer der Eichen, deren Laub noch nicht gefallen war, und eine Art eisiges Rot entlang dem Wald.

Die Liebe und der alte Glaube sind vergangen. Der Glaube mit Mutter gestorben. Grant fortgegangen. Aber das Verlangen und die Sehnsucht sind geblieben, und aus diesen Hügeln kehren auch die Liebe und der Glaube vielleicht einmal zurück. Ich kann mir einfach nicht vorstellen, dass dies das Ende ist. Noch kann ich glauben, dass der Tod mehr ist als die Blindheit der Lebenden. Und sollte das nur der Trost eines Herzens in Not oder jener bequeme, aus Verzweiflung geborene Glaube sein, ist es einerlei, denn es gibt uns den Mut, irgendwie dem Morgen ins Gesicht zu sehen. Und mehr kann ein Herz bisweilen nicht verlangen.